ALEXANDRE JARDIN

LES NOUVEAUX AMANTS

roman

BERNARD GRASSET
PARIS

Photo de la jaquette : © Getty Images

ISBN 978-2-246-86078-5

À Laura, ma femme.
Offre-t-on un roman à celle à qui l'on offre sa vie ?

« Les seuls gens qui existent pour moi sont les déments, ceux qui ont la démence de vivre, la démence de discourir, la démence d'être sauvés, qui veulent jouir de tout dans un seul instant, ceux qui ne savent pas bâiller ni sortir un lieu commun, mais qui brûlent, qui brûlent, pareils aux fabuleux feux jaunes des chandelles romaines explosant comme des poêles à frire à travers les étoiles. »

Jack Kerouac, *Sur la route.*

ACTE I

UN MALHEUR HEUREUX

Tout ce qui n'est pas de la passion est du temps perdu, pensait Oskar Humbert[1].

À quarante-deux ans, cet auteur de théâtre n'était pas empoisonné de prudence. Puceau de certains vertiges, il ignorait encore que rompre souvent peut mener à l'amour inépuisable et au romantisme de premier rang. Toqué d'engagement, Humbert avait toujours cru que les liens tendres font le couple, sans soupçonner que l'art de les défaire permet la passion la plus échauffée. Rompre, c'est dialoguer démesurément. Se quitter marie aussi. La seule vie partagée ne peut fournir tous les termes d'une inclination lumineuse. Empiler les déchirements est parfois, pour un homme et une femme d'excès, une manière de s'aimer

---

1. Aucune des pensées de ce personnage n'engage l'auteur.

infiniment, et avec piment. La distance sans cesse reconquise sauve le désir et le sentiment.

Mais cette folie a ses douleurs.

Celles qui attachent mieux encore que la douceur partagée.

Ces peines sismiques que je vais peindre sans raboter leurs naïvetés un peu ridicules. J'en ferai ici l'usage bouffon, féroce ou indulgent qui convient à une comédie. Sans doute faut-il être parvenu à atteindre la sérénité du cœur et à se méfier de l'amour insatiable, de nature trop impérieuse, pour composer une pièce sentimentale d'une gravité absolument légère.

ACTE I

Ce jour-là ni Roses Violente ni Oskar Humbert, si vulnérables au coup de foudre, ne pouvaient concevoir ce que leur soif d'aimer allait faire d'eux. Ni qu'ils allaient être désespérément amoureux en se découvrant entichés des mêmes libertés. Ni que leur rencontre serait une évasion de leurs cages. Ni quel malheur heureux les attendait. Ni qu'ils communiqueraient jusqu'à l'indécence – Ah, l'activisme des grands sentiments ! – et deviendraient chacun le meilleur agent de liaison de l'autre avec la vie. Ni surtout quelle chimie du cœur les projetterait dans la folie avancée, les égare-rait par-delà le bien et le mal dans une sphère incompatible avec les lois du monde.

Un beau jour, pour les téméraires, se présente quelque chose de plus captivant encore que la tendresse : la possibilité de s'extraire du réel par le romantisme qui donne un frisson de démence, l'accès au romanesque sentimental le plus hypnotique. Celui qui délivre de la réalité plus sûrement que l'opium. Celui qui jette dans les spasmes du bonheur invivable.

Ne soyez donc sûrs de rien, cher lecteur, chère lectrice qui entrez dans ce récit en vous croyant à l'abri. L'amour fou n'est pas fait que d'attraction et de douceur ; les forces rugueuses de la séparation et de la cruauté en sont peut-être la chair la plus excitante. On n'a pas une vie, c'est elle qui nous pilote et nous embobine, par surprise. En vérité, on est vécu par elle plus qu'on ne la vit. Craignez à chaque seconde ce que votre cœur assoiffé pourrait bien vous murmurer un jour.

La faim de fièvre – ce besoin vital de s'absenter du réel pour trouver ses ailes – piège parfois les plus prudents et fait alors aimer le pire. Avant de vous faire sauter sans hésiter, hochet du hasard, jouet de la minute qui s'écoule, dans des gouffres.

Un matin, bien malgré vous, peut-être

pénétrerez-vous volontairement, le sourire aux lèvres, au cœur de votre malheur. L'immoralité sera alors à l'aise dans votre existence. Vous briguerez soudain, avec honte, tous les vices romantiques. Peut-être deviendrez-vous toqué pour rejoindre la folie d'un être aimé, authentiquement désespéré afin d'atteindre son cœur souffrant, névrotique pour habiter allègrement la névrose de l'autre.

Si cela vous arrive, disgracié autant que vénéré, brimé autant que comblé, vous vous réjouirez de votre douleur, votre mal sera l'objet de votre désir et vous connaîtrez tant de joie dans votre peine que vous serez malade avec délice, jusqu'à risquer votre sort ; car il n'est pas de péril plus grand que de mettre le pied dans une fiction authentique, une affection sans limites et bientôt indispensable qui, au départ, semblait n'être qu'une simple aventure. Un lever de rideau.

SCÈNE 1
(bureau d'écrivain équipé d'une baignoire, sous les toits d'un théâtre à l'italienne)

— On est en retard. Ils nous attendent ! cria Anne dans la cage d'escalier.

— Je vous plante ! répondit Oskar qui, comme à l'accoutumée, écrivait dans son bain.

— Tu as perdu la tête ou quoi ?

— Oui !

— Je file au restaurant, rejoins-nous ! lâcha-t-elle avec une pointe d'exaspération, avant de s'éloigner en claudiquant.

Toute de grâce langoureuse et de nonchalance, Anne savait s'emporter avec calme.

Saisi d'une fièvre superbe, Oskar Humbert s'était installé dans sa baignoire à pattes de lion pour écrire avec joie. Auteur dramatique de renom, il terminait ce jour-là l'exubérant brouillon – il appelait cela « le monstre » – de sa prochaine pièce dont il ne trouvait pas le titre : le destin d'un dramaturge qui, un jour, décide de vivre selon son imagination. En lâchant le frein à main. Un effréné qui, brisant son lignage de rêveurs expérimentés, se résout à mettre enfin le pied au-delà de ses peurs ligotantes, sans plus leur laisser le dernier mot.

Les scènes pleines de désordre heureux qu'il tricotait n'étaient, comme toujours, pas achevées – bien que la pièce fût déjà en répétition, selon son habitude – mais une chose était certaine : son héros de papier, d'humeur incandescente, s'accorderait les licences sentimentales qu'Oskar avait coutume d'offrir à ses personnages.

Il n'était plus possible pour son protagoniste

– qu'il tenait en amitié – que le cœur puisse renoncer à ses élans. Ah, laisser entrer dans son existence de ces souffles qui gonflent l'âme ! Et le goût de l'inquiétude, de la grandiloquence que daubent les peine-à-jouir. Comment ? Par la grâce d'une femme ô combien mystérieuse dont le dramaturge ne saisissait pas encore la physionomie morale, bien qu'il eût déjà arrêté le casting de sa pièce.

Gisaient sur son bureau un fatras de dialogues, de notules inachevées éparpillées autour de sa baignoire, une masse de fragments de scènes, de tirades avortées et de situations jetées sur des cahiers. Humbert écrivait ainsi, en vrac et par jaillissements, avec la passion de l'imprévu qui vient bousculer le texte, à la manière d'un Claude Lelouch épris de théâtre.

Son talent était déjà éparpillé dans une trentaine de pièces faussement légères. Toutes, mises en scène par ses soins, ne trouvaient leur achèvement que dans une grande part d'improvisation. Aucune représentation ne se ressemblait. D'un soir à l'autre, une comédie d'Oskar Humbert pouvait s'étirer ou être amputée de quarante-cinq minutes ! Selon l'humeur joueuse de ses comédiens, tous ses amis et tous convertis à sa façon singulière. L'excentrique nourri d'idéal n'engageait que des acteurs-créateurs, aptes à enfourcher gaiement cette liberté.

Sortant de son bain disposé dans le réduit qui lui servait de bureau sous les combles du théâtre parisien où il vivait avec son épouse Anne, théâtre à l'italienne dont il était propriétaire, Oskar eut l'envie d'aller flâner sur Twitter, le réseau social à la mode cette année-là.

C'était, il est vrai, son grand plaisir.

Souvent, au milieu de ses griffonnages, il lançait sur Twitter des paradoxes en cent quarante signes troussés à la va-vite, afin de renifler comment ses nombreux « followers » réagissaient aux idées baroques qui obsédaient son imagination. Les observations des lecteurs et lectrices, parfois affûtées ou carrément barjos, l'aidaient à perfectionner ses dialogues burlesques ou ses insolences cruelles.

Vêtu d'une seule serviette qui masquait ses fesses nacrées, Oskar repéra tout de suite une âme anormalement vivante, une dénommée Roses Violente. Originaire des Caraïbes ? Violente est un patronyme qui court là-bas.

Ses tweets captèrent son attention. Son style concis et plein de mouvement, quoique inégal et incorrect, indiquait une femme qui ne ressemblait pas aux autres. Une morduc de frénésie :

Ma vie sera trop courte pour être petite

En amour, je suis toujours prête au martyre, mais je préférerais remettre ça à plus tard

Je veux être une accélération de la vie

« Pour retrouver sa jeunesse, il suffit de réitérer

19

ses folies » Oscar Wilde (qui n'avait plus mon âge)

J'ai l'intention définitive de vivre un malheur merveilleux

Tous mes espoirs les plus joyeux sont couleur de noyade

Je ne fixe jamais une limite sans l'estomper

Ma sincérité est un répertoire de bourdes

Sur la passion, on ne peut écrire qu'avec une plume trempée dans les larmes... des autres !

Ce soir, je suis épanouie de tristesse

Je suis méchante et morale alors que ma mère est bonne et immorale

Si le dégoût de soi rendait sainte, je serais déjà canonisée !

À chaque tweet, qu'elle produisait à jet continu, on sentait une femme hypnotisée par les vibrations de sa vie psychique. Le reste lui paraissait négligeable. Elle serpentait entre les émotions excessives.

Oskar frissonna, pressentant des accords de sensibilité, la naissance d'attaches à nouer, quelque chose qui avertit que déjà la connivence est possible. Tout chez eux était un peu bizarre et leurs prénoms semblaient le dire déjà : le *k* de son prénom germanique, le sens du nom de famille de Roses.

Ému, Oskar scruta avec inquiétude la photographie du profil de Roses : trop jolie, trop jeune. N'avait-il pas trop goûté de ces filles-là, ardentes et gloussantes d'admiration, dans ses années frivoles, à la sortie des théâtres où elles se pressaient ? N'était-il pas, auprès de la paisible Anne, longtemps sa comédienne fétiche, revenu du mirage des possessions sans gloire ?

Potineuse d'elle-même, cette jeune métisse – café au lait pour être précis – devait être une énigme pour elle-même, se dit-il en terminant de se sécher. Il pensa à une parole de Senghor : « Ma négritude point n'est sommeil de la race mais soleil de l'âme. » La verve de cette Roses Violente suppléait à sa culture. D'évidence, elle se nourrissait de surprises et sniffait la coke de ses désirs.

Ses tweets respiraient mille sensations oxymoriques (Humbert aimait employer ce mot qui n'existe pas) : l'intensité sereine, la sagesse barbouillée de bonne humeur, une frivolité consistante, une singularité ordinaire, une âpre tendresse, un enthousiasme dégoûté ou encore une gentillesse féroce. Et surtout, un goût fabuleux pour la vie qui ne se rencontre que chez les êtres assez mélancoliques pour être vraiment enthousiastes.

Dans ce cocktail sucré-salé, on sentait du Scarlett O'Hara en plus détraqué, du Marilyn Monroe en version black, de l'héroïne affranchie et moderne de série télévisée américaine haut de panier et de la

Lolita nabokovisée. Ce dernier point l'excitait d'autant qu'il s'appelait Humbert lui-même.

Aussitôt, Oskar se reconnut dans ce caractère selon son goût, et fut saisi par une joyeuse confiance. Inexplicable, immédiate et forcément très périlleuse.

Une liaison étroite semblait exister entre les pensées de cette professeure – de français ? – et la passion. Son patronyme même était un pléonasme : Violente. Chacune de ses incises ou observations était d'une grâce souveraine. Roses écrivait par fulgurances, négligeant les demi-teintes de la tendresse :

S'aimer, c'est se meurtrir l'un l'autre, gaiement ! Et en retirer tout le malheur possible sur cette terre.

Ou

L'amour n'a besoin que d'une forte dose de défauts, de poètes et de jeunesse. L'expérience le corrompt.

Oskar fut interrompu par les SMS un peu grognons que lui assenait sa comédienne d'épouse :

On t'attend… il se pourrait que tu sois grossier.

Tu es, dit-on ici, insupportable à vivre. Impraticable !

Lapidaire, Oskar répondit :

Je confirme.

Un joli tweet de Roses acheva alors de le chavirer :

Sauf l'amour fou, tout est imaginaire

Humbert le relut avec sidération tant ces mots lui parlaient :

Sauf l'amour fou, tout est imaginaire...

Le cœur calcifié d'Oskar se réveilla d'un bond. Ne savait-il pas, à son âge, que les hommes ont besoin de complices, non d'amoureuses ? Que la passion n'est qu'un avatar furibond de l'amour-propre ? N'avait-il pas déjà écrit sur cela ? N'était-ce alors que pour s'en convaincre ?

Une partie engloutie de lui refaisait surface.

Cette Roses sauvage donnait le sentiment net d'être une orgie de contradictions. Une fête en larmes, un merveilleux danger ! Cette enseignante – en Loire-Atlantique indiquait son « profil » Twitter – paraissait n'obéir qu'à son instinct de vie, comme si l'existence entière avait été sa proie. Elle avait dû goûter à ses professeurs au lycée, s'en être fait gronder. Elle avait dû dire *oui* à des hommes à qui elle aurait dû dire *non*, juste pour mesurer la largeur de la vie. Rien à voir avec les cohortes de pétochardes nunuches qui, hantées de rêves, vivotent sur la pointe des pieds en tournant du bout des doigts des pages glacées de magazines.

Sur son profil, succinctement rédigé, elle se définissait également comme une « mommy blogueuse », entendez qu'elle appartenait à la vaste tribu des mamans qui se regardent vivre en pipelettant sur la Toile.

Une phrase frappa Oskar :

Mon prénom prend un s – Roses – car mon singulier est un pluriel.

Cette indication bravache aviva encore sa curiosité d'auteur tout comme la photographie minuscule sur laquelle il revint : absolument tentante. La figure de Roses était un épanouissement. Un Botticelli libéré du Louvre qui courait sur la Toile – en version noire.

Happé par son éclat, le cœur ému (qu'était donc devenu soudain son attachement pour Anne, sa muse ?), Oskar poursuivit l'exploration de ses messages avec la sensation – mi-excitante mi-paniquante – de se découvrir un double en écho : il s'échappait soudain de sa solitude. Cette femme plurielle avouait avoir toujours rêvé de « vivre comme dans le monde d'Oskar », dans la foldinguerie de ses pièces de jeunesse.

Explorant son blog, en suivant le lien qui figurait sur son compte Twitter, Oskar lut en vitesse les textes présentés comme inachevés – cette qualité l'enchanta – publiés par Roses.

Ces bribes de phrases, cueillies à la volée, captaient son intérêt :

Aimer un homme, c'est sortir de soi ou y entrer ? Ou bien se surmonter, donc se défaire ?

Dans l'amour conjugal accepté, il y a quelque chose qui est plus que la vie.

24

*Un amour fou est fait pour s'absenter de la vie
et l'aimer davantage.*

L'écrivain découvrit alors que Roses recyclait volontiers ses répliques pétaradantes lancées lors d'interviews télévisées. Elle les avait visiblement visionnées avec frénésie. Un engouement qui ne manqua pas d'inquiéter Humbert, tout en le flattant à cœur.

Il sifflota, se servit du champagne.

Boire des bulles était sa spécialité.

Bien évidemment, il n'était pas le seul auteur auquel Roses s'identifiât, ni le seul qui la laissât songeuse, mais elle disait juger Oskar comme l'un des représentants littéraires de son tempérament. Chacune de ses pièces de théâtre – Mlle Violente avait dû en déguster une douzaine – invitait à sauter à pieds joints dans un destin non prémédité.

Il est vrai que les pièces pressées de Humbert étaient autant de miroirs promenés le long de la route du plaisir qui déverrouille les désirs et interdit l'érosion de soi. Même si les dernières, plus sages, étaient des éloges de l'amour-tendresse. Oskar était bien de ces caractères magnétiques qui semblent n'avoir pas assez de leur propre existence et qui se sentent l'envie de vivre toutes les vies de la terre.

L'impensable et éruptive existence de Roses Violente tenait bien de la pièce perpétuelle… jouée dans un décor onctueux mêlant

25

le cuir aux matières nobles : la maison d'hôtes qu'elle tenait à Saint-Sébastien-sur-Loire, aux abords de Nantes, avec son époux. C'est ainsi qu'elle disait mettre à profit les heures libres que lui laissait son métier d'enseignante, exercé à mi-temps mais à pleine joie. Ce lieu tout de quiétude et d'harmonie fignolée (les photos publiées en témoignaient), paraissait être le contrepoint exact de son allègre nature.

Aussi amoureuse des sentiments emportés que certaines héroïnes d'Oskar, scénariste de fibre, Roses Violente semblait avoir toujours été l'écrivaine exclusive de sa vie-théâtre. Qu'elle fût mythomane ou non importait peu, Roses était... inspirante et jubilatoire à voir vivre. Elle possédait la qualité qui avait longtemps assuré à Anne son règne dans le théâtre et le cœur d'Oskar : cette fille avait le talent, en allumant son imagination, de le transporter au-delà de cette chose insupportable qu'on appelle la réalité.

Un tweet de Roses fit tressaillir Oskar :

Un grand amour est un amour où tout reste possible

Humbert le relut trois fois.

D'autres l'émurent :

Je rêve d'être une épouse-fossile, de renoncer à ma nature incendiée, de m'emmurer vive

L'espérance que la fulgurance puisse se conserver dans le couple me brûle le ventre

J'attends du sexe conjugal qu'il me protège des désordres de l'amour et des vents fous de la vie

Le désir surgit ici ou là, imprévu, vif-argent ; il nous rend sexuellement ambitieux, délicieux, peu présentables, vivants !

Seule l'aberration du désir dilate l'être

La liberté n'est grande que par la puissance des limites

La première des fidélités, nous la devons à la liberté qui est en nous

Mlle Violente se contrôlait-elle ou se subissait-elle ? se demanda Humbert. D'évidence, le jeu dénué de règle était sa première joie et l'impermanence son démon. Son blog et ses tweets l'attestaient à toutes les lignes. Le lundi, Roses Violente cancanait recettes de cuisine, jetait des imprécations de mommy-blogueuse ou scandait les airs de Norah Jones. Le mardi, c'était Madame de Merteuil de retour avec laquelle on respirait un air d'inconvenance. Le mercredi, elle tançait le gouvernement, chantait *La Traviata* en réécrivant le livret pour célébrer les mycoses, ou des Gospels en s'interrogeant gravement sur « l'être-dans-le-monde-noir » ; puis elle se vernissait les ongles et, rageuse, conspuait Aimé Césaire et Senghor. Le jeudi elle semblait avoir oublié qui elle avait pu être les trois jours précédents. Cette femme au sérieux désinvolte (comme Oskar), pressée de tout (comme Oskar), n'aimait rien tant que rompre avec elle-même (comme Oskar) et se morceler sans répit. Comme Oskar, mais lui ne se l'était encore jamais autorisé au quotidien. Dans les interstices, Mlle Violente se perdait volontiers. Pour arriver à ce grand résultat, aucune morale étroite ne paraissait la freiner. Chaque principe était passé au gyrobroyeur de sa cervelle.

Elle était le personnage – immensément culotté – qu'il recherchait pour sa nouvelle pièce. Son double rêvé, la même que lui, ou plutôt que celui qu'il n'avait jamais eu le cran d'être. Celle que devrait incarner Ninon Folenfant, comédienne du Français de premier rang qui avait accepté sa singulière méthode de travail : commencer les répétitions à tâtons, alors que le texte de la pièce n'était pas encore scellé. Empêchée par un accident de cheval – elle s'était cassé la cheville en forêt de Fontainebleau –, Anne n'avait pas pu tenir son rôle.

Oskar songea devant son ordinateur : ça n'a aucun sens de vouloir faire le tour d'une héroïne. Surtout si elle a le coffre d'une auteure-née. Une femme est comme une commode faite d'une multitude de tiroirs visibles et de tiroirs secrets renfermant euxmêmes d'autres tiroirs qui ouvrent d'autres tiroirs… dans lesquels on trouve encore d'autres tiroirs qui excitent l'imagination !

N'est-ce pas justement par la découverte de ces gigognes que commence une relation ou qu'elle achoppe ? Pas le fait d'avoir désossé le meuble pour en connaître d'avance le plan !

Mais ce personnage – puisque cette Roses Violente était d'évidence davantage qu'une personne – possédait un charme rare, non trafiqué, qui échappe si souvent aux jeunes femmes de notre temps : elle était maternelle en diable et lumineuse de sollicitude. Pour qui ? Ses amis du jour, son chien en particulier, les tourterelles attendrissantes qu'elle recueillait, les enfants des autres en mal de câlins, un passant désemparé, démuni ou simplement détruit par le sort sévère.

Son corps sexy accueillait un cœur sans limites ; et cela transperça Oskar d'émotion.

Roses portait haut la grandiloquence sentimentale.

Rien de glacé dans ses élans.

Placer l'ironie devant la niaiserie n'était pas dans ses habitudes.

Bien qu'adulte et vaccinée, elle pouvait chanter seule et à tue-tête la chanson de *La Reine des neiges*, Everest de la nunucherie hollywoodienne.

Sans trop réfléchir, tandis que son épouse (qui se croyait encore toute-puissante sur son cœur) le piquetait de SMS narquois depuis le

restaurant où elle l'attendait, Oskar expédia à
Roses Violente un message privé :

— Merci d'être la vie. Et d'oser être si vivante.

À peine eut-il envoyé ces mots qu'il regretta
son acte.

Faut-il s'exposer aux vents fous de la vie ?

Mais n'est-il pas fou de les esquiver toujours ?

SCÈNE 2
(salle de bains de Roses.
D'une beauté excessive,
elle marine dans un bain moussant)

Roses lut aussitôt le message privé – elle
surveillait à toute heure son fil Twitter, même
dans son bain – et tout d'abord n'y crut pas.

Oskar Humbert ajouta :

— Quand je vous lis, une légèreté me prend.

Ça ne pouvait pas être vrai.

Même si son cœur battait, s'emballait.

Il ne pouvait pas être véridique que cet
homme – l'écrivain le plus inspirant qu'elle
eût croisé par écrit – eût été réellement sensible à sa nature, et l'eût perçue d'emblée dans
toute sa singularité... au point de la remercier
d'être ! Et de le rendre léger !

Et puis, il n'était tout simplement pas concevable que cet auteur qu'elle n'aurait jamais

30

osé regarder dans les yeux de peur d'être trop troublée – tout l'affolait chez Oskar Humbert, par-delà son style – lui eût adressé un message à elle, en privé.

Sa joie la dérouta car elle s'imaginait déjà tout posséder dans sa propre existence.

Roses pensa : je ne mérite pas cette attention, qu'une telle plume me complimente, moi, petite blogueuse sans prétention et simple professeure de lettres classiques qui n'a jamais remporté que des concours départementaux de nouvelles. L'écart de condition lui paraissait trop grand ; sans parler de celui qui séparait leurs « œuvres ». Cet autosabotage mental, elle y était accoutumée.

Pourtant, c'était bien réel.

Un instant, elle songea à effacer le message.

Mais elle ne le fit pas.

Roses demeurait si effarée par ce qu'elle éprouvait dans son cœur, et son ventre, qu'elle eut le réflexe de faire une capture d'écran de son téléphone. Il lui fallait conserver une preuve qu'elle n'avait pas rêvé ces mots improbables qui lui confirmaient qu'il était possible, certains jours, de se désengluer du réel pour empocher sa part de bonheur.

Une minute plus tard, encore tourneboulée, Roses se dit posément : répondre à Humbert me gêne beaucoup. En tout cas pas sans filtre, ni sans passer par un sas de décompression pour convoquer un minimum de convenances. Je ne peux pas faire ça. Impossible de me justifier ensuite auprès de mon Antoine sans allumer, légitimement, sa jalousie. Je dois oublier, séance tenante, ce message trop tentant. Oui, le négliger, le tenir pour nul et jamais avenu, le gommer de ma pauvre cervelle prête à s'enflammer.

Tandis que Roses se persuadait de demeurer en retrait, sa main droite prit spontanément son smartphone et tapa un message adressé à Oskar Humbert :

— Merci de m'avoir retrouvée.

Effarée de son audace, et jugeant son message vraiment trop intime et direct, elle se ravisa :

— Vous êtes beau, trop beau.

Comment pouvait-elle faire très exactement le contraire de ce qu'elle désirait ? Et dire aussi nettement ce qu'elle ne devait pas avouer ? Une immense culpabilité l'étouffa. Pourtant, ses performantes antennes l'assuraient qu'elle pouvait s'abandonner sans risque. Inexplicablement, Roses se sentait en sécurité avec cet homme.

Tous deux avaient un ADN d'excessifs.

Quand, pour la plupart des êtres la passion dangereuse est synonyme de destruction de la famille, elle générait entre eux une affinité, non de sentiments, mais de nature. Une colle indissoluble.

— Votre beauté me met dans un état... pas possible... lui écrivit-elle.

L'envoi de ce message la jeta dans un trouble qui ne se peut comparer qu'avec celui qu'elle avait éprouvé pour Antoine – des années auparavant.

Qu'avait-elle commis ?

Mais vivre sans suivre les panneaux « Autres directions », est-ce vivre ?

SCÈNE 3
(bureau d'écrivain,
Oskar est toujours dans son bain)

En disant combien elle le trouvait beau, Roses donna à Oskar, tout étourdi derrière son smartphone, le sentiment d'être enfin ce qu'il aurait voulu être physiquement.

En un tournemain, Oskar Humbert fut remplacé par quelqu'un de plus jeune.

Jamais ce renard ne s'était senti aussi désirable dans les yeux d'une fille, digne d'être réellement voulu. Toujours cet homme, pourtant séduisant et populaire, s'était arrangé pour qu'on ne lui fît pas sentir son éclat, sa touchante gentillesse dissimulée sous ses airs rogues. La notoriété peut aussi être un isolement. Et soudain, une audacieuse passait outre à ses habiletés, sans lui laisser le temps de l'intimider comme il savait le faire, ou de se barricader derrière ses prévenances.

Paniquée par son incohérence, et par cette déclaration qu'elle avait écrite avec la fièvre qui l'incendiait parfois et dont elle se méfiait tant, Roses ajouta :

— Oubliez-moi, c'est mieux.

Il manquait toujours quelques anneaux dans la chaîne des raisonnements de Mlle Violente, ce qui était charmant, comme s'il lui avait constamment fallu prévenir la résurgence d'une stabilité nouvelle dans sa vie.

Naturellement, le roman de son fil Twitter excédait ce qu'elle vivait en réalité, mais le désordre était bien son biotope. Tout calme prolongé l'angoissait, la menaçait de liquider son espoir de rencontrer enfin « la vraie vie » : un sort hybride d'imprudences et de dérapages qui la délivrerait de l'horrible sensation de n'être rien. Rien qu'une enseignante tout à fait ordinaire, pensa-t-elle ; comme toujours lorsqu'elle se jugeait.

Fasciné par cette Roses si plurielle qu'elle était à la fois accélérateur et frein, Oskar resta quelques instants bouche bée.

Ils rendaient le même son.

Piqué par sa volte-face, mais aussi grisé de tomber sur une femme capable, comme

34

lui, d'accélérer le temps sans s'embarrasser de pudeurs importunes, il la relança aussitôt.

Le tempo d'enfer et de paradis de Roses – une hâte fébrile d'accélérer le temps – ravissait Oskar et l'égayait, tout comme la force inarrêtable du désir de cette fille. Désir à la fois charnel et cérébral car ces deux-là ne s'étaient pas encore vus. Mais ils étaient bien... les mêmes – affligés des mêmes dérèglements. Et puis il était quatorze heures, moment où lui venait chaque jour l'envie de suffoquer avec une femme, de n'être plus qu'un corps animal... Rien ne lui parlait plus qu'une jolie personne dont l'appétit sensuel piaffe, délicieusement déséduqué et libéré, une fille dingue de sentiments qui désobéit avec grâce aux sottises de la décence et du qu'en-dira-t-on. Les peu ardentes, diminuées dans leurs élans, le révulsaient.

Susciter ce débord féminin renvoyait à Oskar une image flatteuse de lui-même dont il avait un besoin vital ; bien qu'il se le fût toujours interdit, convaincu qu'il était de ne pas le mériter. Mais Roses lui répéta obstinément, comme si elle avait voulu le hameçonner, alors qu'elle ne cherchait qu'à se défendre :

— Oubliez-moi. Oubliez-moi.

SCÈNE 4

*(salle de bains de Roses. Elle est toujours
dans son bain, smartphone en main)*

En vérité, Roses demeurait heureuse jusqu'à
l'étourdissement.

Et consternée par elle-même.

Sa coiffure savante n'arrêtait pas de s'écrou-
ler... Même ses cheveux lissés se rebellaient.

Se reprenant, elle eut cependant le courage
de mettre un terme à ses divagations par un
message très ferme :

— Oubliez-moi, je n'existe pas !

Et elle ajouta, comme pour se persuader :

— Je n'existe pas ! Vous n'êtes pas de ma
famille ! Vous n'êtes pas de ces hommes avec
qui l'on va au bout de soi ! Vous ne me mettez
pas en joie ! Nooooon.

SCÈNE 5

*(tard le soir, toujours dans le bureau d'Oskar
équipé d'une baignoire ancienne, la nuit)*

Installée au bureau d'Oskar, la belle Anne
lisait et relisait le « monstre » de la pièce
d'Oskar, tandis que ce dernier barbotait dans
sa baignoire, stylo en main. Excité, il figno-
lait une scène en injectant dans son dialogue,

comme malgré lui, certains tweets de Roses qui lui étaient restés en mémoire :

Sauf l'amour fou, tout est imaginaire

En amour, je suis toujours prête au martyre, mais je préférerais remettre ça à plus tard...

Je veux être une accélération de la vie...

J'ai l'intention définitive de vivre un malheur merveilleux...

Anne toussa, reposa la liasse de papiers et demanda à Oskar :

— Si ma cheville n'avait pas été abîmée, m'aurais-tu confié le rôle principal ?

— Bien sûr mon amour...

À ce « bien sûr » trop prompt, comme automatique et vide de toute joie, Anne comprit qu'il acquiesçait sans vibrer. Était-elle encore sa muse, sa source de légèreté ? Cette interrogation lui broya le ventre. Mais la comédienne sut garder sa contenance et son sourire charmant :

— C'est quoi l'amour, pour toi ?

— Pourquoi ?

— Je croyais que pour toi, désormais, l'amour était un pays où la frénésie n'est plus admise.

— Façon de parler...

— Tu disais que l'amour doit avoir le génie de s'incarner dans une vie banale qu'il transfigure ; que l'amour doit se défier de l'amour, d'un cœur trop exigeant ; que l'amour authentique nous fixe et nous améliore.

— Je disais ça ?

— Oui...

— Ah... pourquoi ne mets-tu plus de talons, ma chérie ?

— Douloureux encore... ma cheville. Tu m'écoutes ?

— Bien sûr.

— Tu disais aussi que le sentiment amoureux doit relever les défis de son anarchie... que sinon s'ouvrent les gouffres où pullulent les vertiges suicidaires.

— Je ne vais tout de même pas me répéter... marmonna Oskar avec distraction.

Anne était devant lui, magnifique, et il ne la voyait pas.

Sa beauté sage ne lui racontait rien.

Elle était un repos, plus une destination.

SCÈNE 6
(scène du théâtre d'Oskar et maison d'hôtes nantaise de Roses, si sereine, contrepoint parfait de sa nature explosive)

Tout l'après-midi, le Parisien et la Nantaise songèrent obstinément l'un à l'autre, Oskar sur la scène de son théâtre et Roses sur celle de sa maison d'hôtes.

Un nuage d'inquiétude flottait devant leurs yeux avec, parfois, un rayon de joie.

L'irruption d'une confiance réciproque les tourneboulait ; alors même que la raison aurait dû leur murmurer de se défier d'un partenaire pareil.

Oskar, comme à son habitude, avait installé sur les planches de son théâtre les meubles qui ornaient son salon privé, afin de transporter son univers le plus intime sur la scène.

Installé dans « son canapé » donc, il retouchait son texte avec jubilation quand, dans un élan, il prit la décision de modifier le prénom de son héroïne. Elle ne s'appellerait plus Fanny mais… Rosalie. Pour que son plaisir fût entier, il lui fallait imprimer quelque chose de Roses dans le caractère contradictoire de son personnage principal interprété par Ninon Folenfant.

Quant à son propre personnage, il conserverait son prénom – Oskar – selon son habitude qui ravissait le public, toujours amusé par l'ambiguïté. Le comédien choisi était son Antoine Doinel, son double à la scène depuis treize ans déjà : le très vivace Hector Dandieu. Un homme qui sans cesse débordait de lui-même.

En retouchant son texte, Oskar s'aperçut qu'un vent nouveau soufflait sur ses personnages : celui d'une légère folie. Ému, il oubliait un peu ses trouvailles verbales, le cliquetis de ses images qui faisaient sursauter les salles, le clinquant de son premier style. Spontanément, il renonçait aux cymbales des répliques efficaces pour chercher un tour plus vrai. Sans ornements.

Puis Oskar se mit en quête de l'adresse privée ou professionnelle de Mlle Roses Violente. Par recoupements, il trouva aisément sur la Toile celle de son collège nantais : Sophie Germain.

Heureux de se débrider, il décrocha gaiement le téléphone :

— Oui, c'est pour commander des roses blanches... Mille. Oui, mille... Une plaisanterie ? Non, un minimum !

En hommage au s du prénom de Roses, mille roses lui semblaient un minima. Humbert donna à son interlocutrice l'adresse du collège, son numéro de carte de crédit et raccrocha, apaisé par sa folie ; puis il reprit le texte de sa pièce. Mais comment l'intituler ? se demanda-t-il. Le titre lui échappait toujours.

Derrière sa baie vitrée à Saint-Sébastien-sur-Loire, tâchant de corriger des dissertations, Roses n'en revenait toujours pas d'avoir été contactée par Oskar Humbert.

Comment avait-elle pu attirer cet expert en pirouettes émouvantes vantées par toutes ses pièces de jeunesse ? L'une d'entre elles, virevoltante, restait incrustée dans sa mémoire : « Si ma femme m'était contée. » Un amusement pur et simple même si les véritables amusements ne sont jamais ni purs ni simples.

À Paris, Oskar demeurait estomaqué d'avoir conversé avec le personnage de sa pièce en cours d'écriture et, selon sa façon, déjà en répétition.

De surcroît, disons-le avec netteté, aucune femme ne lui avait jamais déclaré aussi spontanément son admiration physique. Cette transgression enchanteresse – les femmes n'osent pas assez ces dévoilements – électrisait cet amateur de coups de sang. Les individus toujours maîtres de soi l'inquiétaient. Ne vit-on pas d'autant plus que l'on s'échappe à soi-même ? songea Oskar le sourire aux lèvres.

Nerveuse mais contenue, Anne entra sur la scène de leur théâtre en boitillant. Elle vint s'asseoir sur l'un de leurs canapés, comme si elle était chez elle. Elle portait des talons plats qui atténuaient sa cambrure.

Remarquant sa présence, Oskar sursauta.

Ne parvenant pas à se concentrer sur la pièce qu'il méditait encore, il lui déclara avec enjouement :

— Je crois que je préfère une rencontre dans une situation extraordinaire à une rencontre sans enjeu… même avec une femme hors série !

— Si c'est vrai… je devrais te quitter tout de suite ! plaisanta Anne.

Elle se reprit et ajusta Oskar :

— Sais-tu pourquoi t'aimer est un enfer, mais un enfer séduisant ?

— Non… bredouilla Oskar avec étonnement.

— Tu places d'abord ta bien-aimée, moi, sur un piédestal, en mettant trop de sonorité dans tes flatteries. Tu fais croire que le bonheur ne se trouve que dans le mariage. Tu épouses ta cible, moi, puis tu en fais une jolie statue, une princesse magique, une pure héroïne de film. Une perfection qui va passer sa vie à descendre les marches… en devenant réelle, trop réelle. Au lieu d'avoir été aimée dès le départ avec ses jolis défauts, en chopant à deux des petits moments de grâce.

— Tu aurais préféré ça… des petits moments de grâce ?

— Descendre les marches… c'est une assez bonne définition de l'enfer.

— Très bon !

— Quoi ?

— La formule : « Descendre les marches… c'est une assez bonne définition de l'enfer. »

Sans hésiter, Humbert la nota et la fourra dans sa pièce, au détour d'une scène qui manquait de piquant ; sans même se demander s'il avait le droit ou non de recycler ces mots sincères dans une fiction offerte au public ; sans s'apercevoir qu'il venait de froisser Anne ; sans qu'il eût seulement pensé que son épouse fonctionnait très différemment de lui.

L'amour magique d'Anne et Oskar était cimenté par des oppositions : elle, aficionado du réel, lui de l'idéal ; elle, prodigieusement douce et lente, lui d'une native rudesse et adepte du sprint ; elle, assez coulante en parole et en pratique, lui, toujours fougueux, parfois dur comme un menhir dans ses verdicts ; elle, souvent muette, lui volubile à l'excès ; elle avec un mince appétit d'oiseau, lui gastronome frénétique ; lui, poids lourd du mouvement perpétuel, elle poids coq tenant le coup face à son nomadisme ; elle, estampillée authentique, lui, entièrement homme de théâtre et d'illusions ; elle, hésitante, lui s'engouffrant ; elle, agacée de voir leurs propres meubles sur la scène de ses pièces de théâtre et leurs lettres les plus privées disséminées dans ses dialogues, lui enchanté de tout confondre.

Anne cultivait la plaisanterie sérieuse, lui la joyeuse.

Inséparables, en somme ; même si Anne ne l'inspirait plus car il ne voyait plus sa partie haute ; même si le destin avait voulu que cette femme ne pût pas lui faire d'enfant.

Au fond, chez cette comédienne fatiguée, la vieillesse couvait, bien qu'elle fût toujours une splendeur physique. La vieillesse prématurée, pas celle qui guette au fond du miroir mais celle qui entame la vitalité quand on n'a pas le cran de se réinventer à mi-parcours. Cette usure souterraine marchait vers Anne d'un pas lent mais sûr, alors qu'en elle, si vivante et douée pour les retournements, rien ne s'y accordait.

À Saint-Sébastien-sur-Loire, Roses déclara avec espièglerie à sa mère au téléphone :

— Parfois, je me demande si je vivrais avec mon Antoine s'il avait été libre, et surtout de mon âge, quand on s'est rencontrés… Antoine pense vraiment que la passion n'a que le talent de faire des éclats, pas celui de magnifier le quotidien.

— Tu as quelqu'un d'autre ? coupa Grace. Intrusive, sa mère voulait toujours connaître les détails croquignolets de son roman intime.

— Mais non... comment peux-tu imaginer une chose pareille ?

— Antoine m'a dit qu'il t'avait aperçue à Saint-Nazaire dans un café avec un collègue... un prof de maths assez beau. Loin de votre collège...

— On était en formation ! pouffa Roses. Pour la réforme du collège.

— Antoine a vu qu'il te mettait une main autour de la taille.

— C'était pour me faire entrer dans le bistrot, en poussant la porte. De toute façon, ce collègue est gay !

— Pour l'anniversaire de votre rencontre, avec Antoine... vous irez à Paris en amoureux ? musarda Grace.

— Comme toujours, répondit Roses.

— Lui as-tu offert un sex-toy ? Les hommes, il faut les...

— Maman ! explosa Roses, toujours effarée par l'impudeur de sa génitrice.

Chaque année, Antoine et Roses s'offraient rituellement un petit plaisir : un très bel hôtel parisien et une soirée au théâtre consacrée à la dernière pièce de l'un de ses dramaturges favoris, Oskar Humbert en général. Ou Sacha Guitry ou encore Éric-Emmanuel Schmitt, son autre chouchou. Des auteurs à l'intelligence gaie qu'Antoine jugeait défavorablement mais tolérait.

— On y retourne ! On ne change pas une belle habitude, conclut-elle.

Au même instant, Roses entendit Antoine rentrer comme chaque soir à dix-huit heures avec leur fille d'un an – la lumineuse Clémence à la figure si intelligente – qu'il passait récupérer ponctuellement à la crèche.

Elle aperçut sa silhouette de coton-tige dans l'entrée.

Tous les jours, Antoine achetait une demi-baguette de pain, *pour ne pas gâcher*.

— Bonsoir ! lança-t-elle.

— Bonsoir... murmura-t-il.

Antoine n'était pas du genre à parler fort.

Son sourire un peu crispé laissa filtrer sa répugnance pour l'inattendu, comme une alarme de son goût pour la tranquillité. Pétri de lenteurs méticuleuses, pâle, l'œil éteint, Antoine Nikos avait toujours l'air de n'être pas tout à fait réveillé.

Enseignant lui aussi, mais en khâgne à Nantes, ce froid lézard était viscéralement contrarié par la modernité, lui qui était imbibé de grec ancien (donc moderne) et gavé de littérature antique. De gauche, il avait toujours voté pour les partis rogneurs de dividendes. Le déferlement de l'hilarité perpétuelle sur les écrans télévisés, en un siècle qui fait blague de tout, l'horripilait. Tacite demeurait son moderne favori, tout comme les auteurs coupables de désuétude. Schmitt, Guitry et Humbert passaient cependant à travers son mépris – bien qu'il les jugeât tous rigoureusement illisibles – car ils avaient le talent de distraire sa Roses. Ce ronchon indolent ne tolérait, parmi la piétaille écrivante depuis 1900, que les antimodernes qui écrivent sec et se vivent en bannis, en maudits étouffés sous les lauriers de l'opprobre bourgeois.

Alors que Roses, pourtant lustrée de lettres classiques, n'aimait au cinéma que les blockbusters américains et autres gros nanars commerciaux pourvu qu'ils comportassent une dose de fantastique. Quant à ses goûts littéraires – en dehors des pièces champagne de Humbert&Schmitt – Mlle Violente ne raffolait que des lectures trrrrès populaires : BD, mangas, Young Adult délicieusement bêta, romans jeunesse et... des pages et des pages de bit-lit ! Schopenhauer tombait de ses mains toujours très manucurées.

Comme tous les soirs, Antoine se mit aussitôt à jouer avec sa fille, après avoir distribué quelques remarques désobligeantes à Roses sur ses lectures :

— Tu as vraiment besoin de lire ça ?

Si l'on avait pu pénétrer dans son crâne, on aurait entendu les mots suivants :

— Qu'est-ce que l'amour ? Presque rien...
un rien de plus en plus vivant dans un
cœur... une joie dans les yeux que l'on dis-
cerne peu mais qui est inimitable, ce quelque
chose d'essentiel et fragile qui est toujours
menacé par la passion. Roses, ma Rosinette
sans cervelle, le sait-elle seulement ? Saura-
t-elle, ma pauvre chérie, voir longtemps cette
beauté-là, tendre et secrète ?

Antoine avait toujours participé à la mau-
vaise estime d'elle-même de Roses. Avec son
humour sec, il pratiquait à son endroit une
condescendance sans faille ; celle du professeur habitué à noter.

Rassurée par la régularité de son amoureux qui compensait son naturel exagérément
mobile, Roses se répéta cependant qu'elle
tenait plus que jamais au couple très établi
qu'ils formaient ; même si tout s'usait et se
lézardait un peu.

Mais tandis qu'il l'embrassait selon un
rituel rodé, elle ne put se retenir de penser
à l'étonnement permanent qu'Oskar Humbert suscitait. L'écouter sur les ondes, c'était
se décalcifier, voir ses pièces à Paris c'était
s'affranchir de ses peurs à grandes enjambées.

Roses connaissait par cœur son théâtre fiévreux, paradoxal, et ne manquait jamais ses
interviews télévisées ou radiophoniques, ponctuées de répliques empreintes d'ironie douce

qui invitaient toujours à la plus extrême liberté, au reflux obstiné des pétoches et à la guerre contre toute forme de résignation. Ses jongleries verbales l'avaient toujours réveillée. Sur son téléphone, des alertes numériques l'avertissaient depuis des années de ses moindres faits et gestes rapportés par les médias ou les réseaux sociaux si cancaniers à son sujet.

Par prudence, elle décida de supprimer ces alertes. Cet homme ne devait pas entrer trop avant dans son cœur.

Pourquoi vivre quand on peut exister calmement ?

L'amour doit-il forcément devenir démence ?

SCÈNE 7
(cuisine de Roses où, rêveuse,
elle prépare un repas de manière mécanique)

Prise dans un curieux tourbillon qui lui échappait, mais charmée de voir Antoine prendre soin de leur bébé, Roses se permit, secrètement, de comparer les deux hommes – alors même que ses relations avec Oskar n'existaient pas. Quelques messages ne font pas une rencontre, encore moins un lien.

Extrapoler par jeu, se projeter jusqu'au délire et se figurer avec amusement des situations très éloignées du réel – pour se fabriquer une « boîte à images » impossibles mais stimulantes – calmait son besoin de théâtre palpitant et emplissait le vide de son être. Sans aucune culpabilité. Est-on responsable de rêveries innocentes ?

L'amour, pour Roses, n'était pas une expérience qui se faisait dans le réel mais bien contre le réel ; un espace vaste et glissant où il était permis d'adhérer aux règles de son monde fictif ; un univers où l'incroyable était vrai, l'invraisemblable envisageable. Et le romantisme exacerbé à portée d'initiative. Oskar Humbert n'était-il pas, sous ce rapport-là, le partenaire idéal ? se demanda-t-elle par une sorte d'élan qui l'échauffa tandis qu'elle s'affairait dans la cuisine.

Contrairement à son brave Antoine, calme professeur de classes préparatoires, Roses s'avisa qu'Oskar – elle allait dire « son Oskar » – était bien de ces caractères singuliers, nés d'eux-mêmes, que l'éducation n'a pas soumis à l'uniformité. Si jamais le souffle avait été dans un homme, c'était bien cet animal qui tweetait à jets continus. L'écrivain fêté paraissait régulièrement dans l'écume de l'actualité. Jadis, ses préoccupations sentimentales de prosateur lui avaient ménagé de faciles alliances avec un jeune public féminin. Même si son style manquait de soigné. Ce dramaturge relevé de la période de décri où il était tombé un temps, lui sembla ce jour-là semblable, sinon à elle, du moins à ce que Roses aurait voulu être, parce que, comme elle, il était bien de ceux qui aiment l'amour démesuré, totalitaire, qui élimine toute trace de vie normale. Chacune de ses pièces et ses éclats répétés sur les plateaux de télévision témoignaient de cette obsession.

Son très honnête Antoine Nikos – d'origine grecque donc – possédait certes des ailes mais elles étaient courtes et ne lui servaient qu'à parcourir des chemins balisés, convint-elle. L'un dissertait, l'autre osait ; ce qui acheva de terrifier Roses tout en l'enchantant plus qu'elle ne l'aurait voulu. Le Nantais incolore disait « il faudrait y réfléchir » avec crainte, le Parisien bravache et cinglant répliquait sans hésiter dans ses interviews « tout de suite ou demain ? » avec cette sorte d'énergie contagieuse des gens de premier mouvement ; ce qui acheva d'émouvoir Roses, tout en l'inquiétant fort. L'un avait du clairon dans la voix, l'autre du murmure. L'un l'ennuyait avec ses rituels familiaux qui l'entraînaient, à toutes les vacances, dans le village grec de ses parents soporifiques, en Macédoine ; l'autre devait globe-trotter. L'un semblait si foncièrement gentil dans ses interviews ; l'autre lui avait montré une fois – qu'elle préférait oublier – un visage menaçant sous ses airs tempérés... L'un n'avait guère d'amis, ou plutôt Roses les lui avait tous fait quitter, l'autre semblait – à en croire la presse – agglutiner les amitiés avec des caractères.

Roses comparait un homme auprès duquel elle vivait – son mari – avec un autre qu'elle n'avait encore jamais vu ! Comme si cela avait eu du sens. Dans l'esprit très particulier de Roses, ce qu'elle concevait possédait une sorte de statut de vérité. L'absurdité de l'exercice ne lui apparut donc pas. Vivre ou imaginer ne présentait pas pour elle de grande différence, un peu comme lorsque Humbert confondait sa vie propre et celle de ses personnages de théâtre, ceux qui évoluaient au milieu de son mobilier.

Roses poursuivit donc le parallèle…

Tous deux paraissaient à Roses si différents qu'elle se félicita d'avoir choisi un homme solide à sa portée, arrimé à leurs habitudes : un remarquable garde-fou.

Avec Antoine, la raison ne prenait jamais de vacances.

SCÈNE 8
(salle de bains confortable de Roses)

Plongée dans son bain pour faire le point sur les émotions qui l'assaillaient, Roses se rappela que son histoire avec Antoine n'avait pas toujours été un lac tiède. Chaque étape lui sembla une pièce rose et grinçante dont elle avait été l'héroïne. Antoine tenait le second rôle, bien qu'elle n'ait jamais eu, jusque-là, le courage de se l'avouer. La force motrice, c'était elle, l'éternelle adversaire de l'expectative, l'apôtre du culot.

Acte 1

Depuis mes quinze ans, j'ai toujours voulu être celle par qui la liberté arrive – comme un scandale permanent. Passer d'un étonnement à un autre. Les mots orgasme, passion et ruptures n'ont jamais assez fait de vacarme en moi ; ou plutôt dans le roman vif que je me raconte.

J'aime ce je-ne-sais-quoi d'obscur, de trouble et d'exaltant qui me met en transe. Il n'est pas possible à la clarté de nous faire tout voir.

Ma capacité à vivre ce qu'on appelle le réel est très faible, je ne le sais que trop ; bien que j'aie un goût prononcé pour la quotidienneté la plus matérielle : cuisine, déco, etc. Avec imagination, j'aime rendre ingérables les situations qui ne sont que difficiles. Je me suis continûment ruée vers la fiction stimulante et j'ai toujours poussé la démence jusqu'à baptiser « vie réelle » les récits que je produis sans répit.

Du temps qu'Antoine était mon professeur très marié, en classe de première (quand il enseignait au lycée Grand Air de La Baule que je fréquentais), il m'avait paru suffisamment inaccessible pour représenter un défi de taille... une tempête mêlée d'orages à affronter sourire aux lèvres. Flegmatique, Antoine encombrait alors les classes de sa carrure. Il dominait le brouhaha des couloirs et ma culture littéraire, faisant et défaisant mes jugements. Sécurisant, il m'avait conquise ; tout ce que j'aimais… tant j'aime avant tout être subjuguée et avoir « rien qu'à moi » un homme, avant de songer au plaisir.

Séduire ce second rôle d'envergure, moi la jeune métisse d'origine antillaise par ma mère, m'avait mise en fièvre, tout en m'angoissant horriblement. J'avais alors puisé dans cet interdit assez de stimulant pour connaître auprès d'Antoine, de quinze ans mon aîné, la plus excitante manière de vivre l'amour : par le toboggan de la transgression, le coup de force qui panique les bonnes gens et forme la légende.

Se résignant à la perte de toute considération de ses pairs enseignants, Antoine m'avait cédé (qui ne cède pas à mes avances ?). Notre passion si décriée — oser vivre avec son professeur de français avait fait jaser les bourgades alentour — avait été le point de départ de bien des feux d'artifice !

Tout entre nous avait été fièvre, cabrioles sexuelles de haut niveau et licence tonique.

Créditée d'une aura sulfureuse, le bruit de ma jeune perversité s'était répandu ; on m'avait traitée de dépravée hors pair dont le corps ne se refusait rien, et accusée de pratiquer des rites vaudous ; soupçon que notre couple avait bien été incapable de détruire. On m'avait même surnommée « Dirty » au golf de La Baule. Nous avions dû quitter la ville pour nous réfugier à

Saint-Sébastien-sur-Loire où nous nous sommes fondus dans l'anonymat d'un lotissement familial. Notre couple mixte et dissymétrique par l'âge a su traverser la bourrasque, et c'est bien là ce que je trouve de plus poétique dans notre trajectoire.

Acte 2

Après l'explosion si romantique et pittoresque de nos premières années, nous ne sommes plus à même de surmonter nos tonalités distinctes et de parler au monde entier d'une seule voix.

Ses caresses ne m'atteignent plus profondément.

Il a oublié que j'aimerais être un peu plus « dirty ».

Sait-il seulement que la passion de m'oublier et de m'abaisser est parfois tentante ? Que j'ai, il me semble, quelques affinités avec la part sombre du désir.

Fini la dévotion fougueuse, les fessées improvisées dans des salles de professeurs désertes – en commençant par de petites tapes anodines, si nouvelles pour moi – et le champagne érotique qui m'avait tant grisée.

Notre mécanique amoureuse s'est grippée.

Une distance palpable s'installe désormais entre nous deux… et la froide jalousie avec elle… jusqu'à cet épisode glacial que je préfère refouler à jamais. Ce trou noir inexplicable dans notre histoire. La lumière aveuglante de notre désir, Antoine a marché dessus, et l'a presque éteinte avec bêlise. S'il me suit encore au lit, m'encourage même parfois dans mes initiatives délurées de femme fidèle, il ne fait plus que cela. La spontanéité n'a jamais été son registre ; et cette placidité gentille, teintée de bonne volonté, n'a fait, au fil des saisons, que s'accuser.

Ensemble, nous perpétuons à présent un sort sans ardeur, loin des exigences de mon cœur ambitieux qui exige sa ration d'infini. Et surtout que le quotidien soit dissous chaque jour par l'érotisme aventureux, celui qui atteint son point de perfection par la surprise inavouable : le seul qui me tente. Sans que je le veuille expressément, pour continuer à me juger honnête et convenable.

Les compliments mêmes d'Antoine sont à présent trop mesurés, aucun ne m'invite à la fantaisie risquée ou aux folies charnelles. Il ne prononce le mot romantisme qu'avec répugnance. Avec cet enseignant trop bien noté aux allures d'ingénieur, la vraie gentillesse est partout (malgré son double visage) et la spontanéité nulle part. Mon très joli professeur de français tout imprégné de gai savoir a perdu de sa superbe ; j'en ai tiré hélas toute l'émotion que l'on peut obtenir d'un mâle encore à dompter.

Incapable de me rattraper, Antoine dépérit sans rien avouer ; je le vois bien.

Une fois, atroce, il a dérapé en me menaçant rudement si je lui échappais ; mais il ne recommencera plus jamais, même s'il ne me déplaît pas d'être un peu méprisée ou rudoyée par cet homme... très masculin.

Tétanisé, il gèle désormais sa parole, tremble en silence et se réfugie le soir à Saint-Sébastien-sur-Loire dans ses livres annotés. Sous l'effet de l'inquiétude, sa libido même s'amoindrit.

56

Parfois, il fabrique de petites surprises minables, m'offre une orchidée sauvage ou soigne une tourterelle pour me plaire. Mon pauvre Antoine improvise des emplâtres, mais je lui échappe et ne lui accorde aucune sûreté. Cet homme domestiqué n'est plus à séduire, je n'ai avec lui plus rien sur quoi exercer mon pouvoir facétieux.

Et puis, mon cœur ne bat plus lorsque je prononce son nom. C'est évident.

Mais quoi qu'il puisse advenir, que je croie ou non en ses sages baisers ou qu'un autre homme assaille ou non mon imagination, je tiens au couple friable que je forme avec lui. Certes, il peut se révéler plein de dédain, féroce ou avec des duretés inattendues, mais Antoine a tout plaqué pour moi, se fâcherait avec ses propres enfants. Il m'a donné mon merveilleux bébé, ma petite Clémence. Même si je suis déconquise, il enfantera tous mes enfantements. Je lui donnerai mes protections, mes dévouements, mes sacrifices même.

Sa passion pour la littérature ensevelie dans les grimoires m'embête bien un peu mais elle a sa grandeur.

Son pessimisme doucereux est une morale que je respecte.

Cet homme un peu commun ne fait-il pas très bien les choses communes ?

Son originalité tempérée ne me suffit-elle pas ?

N'a-t-il pas raison, après tout, d'être réfractaire à la modernité facile et de mépriser les courtisans de la culture ordinaire, surfacée de snobismes ?

Et puis, est-ce que je mérite mieux que ce

sort-là, ajusté à ma petite personne sans inté-
rêt ? Je ne répondrai jamais à cet Oskar parisien
trop sûr de sa position et qui doit sans nul doute
entretenir sur Twitter des dizaines de liaisons
avec des femmes émoustillées par ses dialogues
effervescents. D'ailleurs nous ne sommes pas
les mêmes. Cette seule idée est grotesque. Je ne
suis, en vérité, rien qui puisse capter vraiment
son intérêt, un minois sans talent, une féminité
superficielle et dispersée dont il se lassera très
vite. Une conne avérée qui sait seulement s'apprê-
ter. Nos premiers échanges doivent tourner court.

Acte 3
Que va-t-il arriver à mon cœur ? Ne serait-
il pas temps d'arrêter de concasser celui des
hommes avec frénésie ? Ne devrais-je pas devenir
entièrement mère ? Ah, la faute véritable agite,
la grande vérité repose ; et ma vérité est que je
suis une maman.

Tout en méditant dans son bain, tâchant de se pondérer, Roses entendait la maison en rumeur des tâches ménagères, des petits soins prodigués à leur divine Clémence. Antoine faisait dîner leur bébé d'un an.

Roses saisit son smartphone. Déterminée à couper tout dialogue avec Oskar Humbert, elle lui adressa un message abrupt :

— Mon téléphone est le 07 32 24 38 25. Appelez-moi dès demain.

Quelle force incontrôlable pilotait sa volonté ?

Affolée par ce qu'elle venait d'accomplir, malgré elle mais avec joie, Roses se reprit et voulut effacer son envoi, mais trop tard son numéro était parti. Elle se sentait coupable comme jamais. Comment pouvait-elle se laisser entraîner par sa soif de jouir de tout dans un seul instant ? Après tout ce qu'elle avait promis à Antoine... N'était-ce pas le signe qu'avec cet écrivain elle connaîtrait peut-être cet « accroissement de soi » que seules procurent les rencontres inspirantes ?

Une angoisse la saisit alors, oppressa sa poitrine encore gonflée et lui coupa net le souffle. Par principe, elle oscillait ; et comme les variations d'un être s'expliquent souvent pour soi-même, elle se piquait de bonne foi, de constance même. Mais en elle, tout choix stable au-delà de dix minutes était une chimère ; en souffrir à chaque seconde était sa croix et sa volupté. Sans qu'elle se l'avouât, Roses aspirait à être plurielle, à ne pas toujours s'amputer des parts d'elle qui s'emboîtaient mal.

Fougueuse, elle se demanda alors comment le si touchant Oskar prendrait sa main tendue par mégarde. Se croirait-il autorisé à outrepasser son cynisme, à lui faire des avances, lui dont la physionomie lui plaisait tant ? Au point qu'il était parfois arrivé à Roses de sentir un trouble physique explicite en le détaillant à la télévision, vibrant d'impétuosité, sans que son Antoine devinât jamais l'ampleur de son désir.

Jamais le droit Antoine n'aurait pu soupçonner que dans les ardeurs sans retenue qu'elle avait eues pour lui, un soir d'automne juste après une émission littéraire, Roses s'était permis d'imaginer que la queue avalée d'Antoine était celle de l'écrivain – ce mot très cru, *queue*, appliqué au membre d'Oskar coulissant entre ses lèvres, l'avait alors jetée dans un trouble sans fond. C'était moins l'idée de ce sexe prêt à s'épandre entre ses dents qui l'avait affolée que la possibilité que ce prosateur se retrouvât au fond de sa gorge, caressé par sa langue appliquée, sachant bien… que la probabilité que cette folie advînt n'existait pas.

Faire surgir de l'impossible dans son esprit l'apaisait et la jetait dans l'extase de vivre un bel orage.

Puis, rongée de culpabilité, elle se ravisa, rougit et se tança : arrête d'imaginer n'importe quoi !

Chez cette écartelée perpétuelle, pas d'élan sans volte-face réjouissante, pas de renoncement sans revirement. Ne travaillant qu'épisodiquement au collège Sophie Germain – à mi-temps – ou chez elle, elle n'avait que rarement cette tranquillité d'esprit qui résulte de la régularité constante d'un métier qui empêche l'imagination d'être trop libre. Victime de son tumulte interne et de ses appétences imaginaires, elle gardait de l'indécision en tout.

Aussi Roses Violente ne savait-elle jamais – et encore moins alors qu'elle venait d'envoyer son numéro de téléphone portable à Humbert – si elle devait être euphorique ou paniquée.

Frustrée ou contente.

Heureuse d'être trop sage ou incendiaire.

Cette beauté florissante ne fonctionnait que dans les extrêmes, selon un voltage affolant. S'enliser dans la tiédeur lui donnait la sensation d'être déjà morte – ce qui n'est pas faux.

Alors, comme à son habitude, en cet instant très familial – son bébé nourri se laissait cajoler par son papa, elle les entendait –, elle s'efforça d'être gaiement désespérée et se mit à chanter à tue-tête, à la façon d'une cantatrice.

SCÈNE 9
(salon moelleux et cuisine lumineuse
d'un couple d'enseignants)

En sortant de la salle de bains, Roses improvisa un nouvel hymne aux mycoses sur l'air de *Summertime*. En rejoignant Antoine dans leur salon pour l'amuser, elle se distrayait d'elle-même, s'aérait le cœur.

Hilare, et un peu méprisant, le malheureux ne voulut rien deviner, comme toujours, en contemplant le sourire clair et innocent de sa femme, comme éclairée d'une pure lumière. Jour et nuit, Roses portait sur la face un autre visage que le sien.

Tandis qu'elle achevait de préparer le dîner diététique de son époux, avec les exquis raffinements qui témoignaient de son naturel maternel (ses salades étaient des perfections), Roses déguisa son trouble. Avec Antoine, elle évoqua des chamailleries en salle des profs, ses agacements syndicaux. Il ironisa :

— Tu as d'autres choses intelligentes à me dire ?

Le repas fut ensuite assez morne.

Évasive, Roses était là sans l'être, s'absentait dans l'un des nombreux tiroirs intérieurs qui composaient son esprit complexe ; et dans lesquels on ne trouvait que des points d'interrogation. Elle eut même l'inélégance inattendue de ne pas être drôle. Roses servit une pintade tendre et bien truffée qui fut, elle, de bonne compagnie.

Encore affolée par l'audace qu'elle venait d'avoir en pensée, Roses tâchait de se calmer mais demeurait irrésistiblement attirée par son smartphone.

Elle était, et elle le savait, résolue à l'irrésolution, décidée seulement à être indécise.

Oskar lui avait-il déjà répondu ?

S'était-il fendu par SMS ou sur Twitter en message privé d'une proposition assez indécente pour nourrir sa « boîte à images » érotiques, la captiver, l'effrayer ou l'indigner ?

Une chose lui plaisait chez Humbert : il savait que vivre, après tout, c'est se compromettre. Chacune de ses pièces de théâtre le criait gaiement.

SCÈNE 10
(toilettes de Roses, salle de bains de Roses,
lieux clos où elle se retrouve ;
puis bureau d'Oskar où il fermente)

Quand elle finit par céder à son désir en se réfugiant dans ses toilettes, longtemps après se l'être interdit – entendez sept minutes car chez Roses les minutes valaient des années, ses heures des décennies – elle réprima un élan du cœur. Oskar avait répliqué par SMS :

— Roses, je vous appellerai quand j'aurai trouvé une solution pour nous sauver de toute faiblesse. Veillons à mettre toujours de la distance entre nous. Une distance maximale.

Il avait ajouté :

— Je m'engage à ne jamais vous troubler.

— Vous avez un côté puceau, entre ingénu et un peu tordu. J'adore ça.

— Ce n'est pas l'épiderme qui compte, c'est le cœur.

— Vraiment ?

— Vous caresser serait trop, et vous le savez. Le début d'un risque que nous ne devons pas courir.

Les mains moites et les lèvres tremblantes, Roses prit soin sur-le-champ d'enregistrer son numéro de portable ; puis, émoustillée par cet emploi du futur – il y avait donc un futur entre eux, hypothèse improbable pour cette lettrée si éloignée des milieux parisiens – et, tout en se reprochant de ne pas avoir attendu jusqu'au lendemain, elle répondit :

— De quoi rêvez-vous ?

Une heure plus tard, Oskar lui répondit :

— D'un très long désir.

— Pourquoi long ?

— Le chef-d'œuvre de l'amour est de durer. Mais quel âge avez-vous ?

— Vingt-cinq ans.

— Catastrophe !

— Pour moi, ça ne compte pas. Le père de ma fille a le même âge que vous.

Oskar lui expédia une nouvelle rafale de SMS depuis le bain où il marinait. Il partit alors, comme il savait le faire, à l'assaut de la vie normale, en suggérant à Roses deux solutions pour la rencontrer, étranges et brusques, mais pas suffisamment déplacées pour qu'elle s'en offusquât. Ou qu'elle s'en sentît démesurément coupable.

Pour lire plus tranquillement leurs SMS, elle se replia discrètement dans sa salle de bains, sans justifier sa disparition ; cela aurait alerté Antoine, plongé dans ses livres mais toujours sur le qui-vive.

Sans s'en rendre compte, Oskar et Roses avaient la faculté de se propulser l'un l'autre dans un étrange somnambulisme, une sorte de mélodrame excitant, où tout semblait réellement possible. Comme dans les comédies romantiques dont ils écoutaient en boucle les bandes originales.

Sur un ton presque anodin, Humbert lui proposa alors quelque chose d'assez délirant pour lui inspirer confiance : passer bientôt une nuit dans un hôtel au bord de la mer, mais en occupant chacun une chambre à des étages différents afin que la distance maintenue pût leur assurer une solide marge de sécurité. Quoi de plus délicieux qu'une situation qui met en branle l'imagination et allume le trouble sans que l'issue soit connue d'avance ? Une situation où l'espérance fébrile se taille la part du lion ! Et dire qu'elle l'avait imaginé forniquant avec ses admiratrices, s'amusant du désir des femmes sur les réseaux sociaux...

Elle tombait sur la princesse de Clèves, ou un Valmont à la candeur invraisemblable.

Sentant Roses encore réticente, Oskar lui suggéra une autre idée bizarre : la retrouver à Paris dans un restaurant, chacun à une table distincte, si possible très éloignées, afin de poursuivre leur conversation par SMS en se surveillant du coin de l'œil, mais sans qu'un seul mot fût échangé.

— Maintenons entre nous une distance appropriée, avait conclu Oskar. J'y tiens énormément. Vous ne me plaisez pas.

— Ça va de soi, répondit-elle en tapotant toujours sur son smartphone.

Puis elle ajouta :

— Même si vous êtes insupportablement attirant !

— Vous êtes toujours aussi transparente ?

— Savez-vous que vos discours et vos pièces invitent les femmes à vous faire du rentre-dedans ? Et à rêver.

— Non.

— Menteur, rétorqua-t-elle.

— Oui.

— Pour l'instant, Oskar, nous ne souffrons pas mais je SAIS que ça viendra si nous continuons ces échanges, sur ce ton-là.

— Sortez de cette vision tragique, Roses. La vie est plus large que nous ne le pensons, plus inattendue. Elle nous veut du bien.

— Ça ne peut pas bien se finir entre nous.

— Nous existe donc ?

— Arrêtez de jouer avec moi.

— J'ai envie de vous sentir veiller sur moi, Roses, s'entendit-il dire avec une délicatesse qui le stupéfia.

— J'aurais très envie de veiller sur vous, si vous saviez... Mais arrêtez de me répondre, je vous en supplie.

— Pourquoi ?

— Vous me rendez dépendante de vos messages.

— Vous aussi.

— Je ne connais pas d'autre langage entre les hommes et moi que celui de la chair.

— Vraiment ?

— Alors j'ai envie d'être dans cet hôtel avec vous, chacun à un étage, encore séparés, toujours distants... Non, je retire ces mots ! Je ne le veux pas !

— Vous voyez que vous ne réfléchissez plus avant d'écrire ! Comme moi... lui fit observer Oskar en riant.

— Vous risquez de rendre votre femme atrocement malheureuse si nous ne nous reprenons pas tout de suite, Oskar Humbert. En avez-vous conscience ?

— Ce qui me terrifie, c'est que ce soit vous qui me le rappeliez...

Sur ces mots, Oskar prit un cliché décent

de lui dans sa baignoire – plantée au milieu de son bureau – et l'envoya à Roses. Elle le reçut avec plus de trouble amoureux qu'elle ne pouvait l'accepter – cet accès à son corps, si soudain – et répondit :

— Merci pour la photo... bien que ce ne soit pas très gentil. Non, pas gentil du tout. Je vous en prie, freinons-nous.

— Pour appuyer ensuite sur l'accélérateur ?

— Oskar, avez-vous seulement conscience de ce que cette photo et vos paroles éveillent en moi ?

— Et vous ?

— J'ai envie de vous dire : faites-moi peur... Mais je n'en ai pas le droit.

— Également envie de vous dire la même chose. Regardez comme je suis niais !

— Je vous ferai peur d'une manière ou d'une autre... Vous ne vous rendez pas compte à quel point je suis entière. Je suis un bloc de démence.

— Je l'espère.

— Me faire tomber amoureuse de vous est pure folie, vous avez attrapé une dingue d'amour... vous devriez être terrorisé, trembler. Oskar, vous auriez dû trouver quelqu'un de plus mesuré pour vous amuser !

— Qui vous dit que je m'amuse ?

— Ça ne peut pas être autre chose. Je suis une gourde, un cerveau étroit. Vous vous

lasserez dès que vous aurez fait le tour de
moi.

— Personne ne fait le tour de soi.

— De soi ?

— Nous sommes bien les mêmes.

— Les mêmes ?

— Oui.

— J'ai atrocement confiance en vous.

L'écrivain amoureux de l'amour entrait en
naïveté ; mieux, en ingénuité. Avec une telle
spontanéité qu'Oskar en fut proprement estomaqué. La passion détraque, mais celle qui
lui venait le mettait en santé et lui rendait
ses jeunes sentiments.

En lui, la joie entonnait son grand air d'opéra.
Cette joie entière qui dilue tout sens moral.

SCÈNE 11
*(chambre de Roses et Antoine
entièrement décorée par elle,
et chambre d'Anne et Oskar
entièrement décorée par lui)*

Par le moyen de quelques SMS supplémen-
taires, expédiés sous le nez de leur conjoint
afin que le jeu fût plus risqué, donc amusant quoique culpabilisant, Oskar et Roses
convinrent d'une ferme ligne de conduite : si

69

jamais il advenait que, par mégarde, ils en vinssent à se croiser à Nantes ou à Paris, tous deux veilleraient scrupuleusement à maintenir entre leurs peaux une honnête « distance de sécurité ». Ils dépenseraient toute leur inventivité pour veiller à cette sacro-sainte obligation. La ligne blanche ne devait pas être franchie.

Oskar et Roses firent mieux qu'établir cet accord : ils se découvrirent sous ce rapport très semblables, fanatiques de jeu et ravis de se duper eux-mêmes ; mais surtout enivrés de rencontrer chez l'autre un partenaire aussi féru de théâtre. Aussi apte à ouvrir tous les tiroirs de l'autre. La gaieté de Marivaux teintait le dialogue qu'ils s'écrivaient sur leur smartphone.

— Si nous déjeunons ensemble mais à distance, je demanderai au serveur de nous servir le même plat, à dix tables de distance.

— Nous partagerons ainsi les mêmes saveurs… le même plaisir sucré ou salé.

— À distance…

— En nous fixant.

— Sans nous approcher.

— Ou en reculant à chaque fois d'une table…

Ces deux-là ne s'aimaient pas encore, mais déjà ils ne pouvaient se résigner à ne pas se plaire.

En s'alitant à Paris, enfin délivré de la solitude qui l'avait toujours incommodé dans sa vie de couple, Oskar souriait aux anges. Il remerciait le hasard d'avoir pris en charge son cœur.

— Qu'est-ce que tu as ? lui demanda Anne avec douceur.

— Rien...

La solitude à deux qui faisait depuis longtemps l'ordinaire d'Oskar – jamais sa femme n'avait eu accès à lui, à ses vertiges dissimulés ni aux tiroirs qu'il ignorait en lui-même – s'accroissait de la solitude des toits parisiens que la vue va chercher par-dessus la capitale en automne. Tendu, l'écrivain ne put s'empêcher de consulter son téléphone. Roses avait-elle relancé la partie ? Non. Ils n'en étaient pas encore à ressentir la nécessité supérieure de leur histoire mais quelque chose de cela flottait déjà dans l'air. Leur pressentiment – fondé – était qu'ils étaient bien de même dangerosité l'un pour l'autre.

En allant se coucher dans leur chambre, feignant le calme, Roses fut ce soir-là saisie d'une tension si extrême qu'elle avala cinq dormitifs qui eussent assommé un zèbre. Une vieille habitude qu'elle tenait de Grace, sa mère, une Black excessivement belle qui avait toujours drogué ses filles de neuroleptiques. L'organisme de Roses ne répondait plus, depuis longtemps, qu'aux médicaments les plus lourds. Saisie par le même réflexe qu'Oskar, elle consulta également ses SMS.

— Qu'est-ce que tu as ? lui demanda Antoine.

— Rien… répondit-elle inquiète en se tournant vers sa table de nuit encombrée de romans.

Des ouvrages qui discréditaient le mariage : l'Amant de Lady Chatterley, celui de Duras, une pile d'odes aux dérèglements des sens et à la passion qui malmène.

Affolée par cette pile, Roses se rassura en pensant que seul l'amour exagéré lissait son caractère et la soulageait. Provisoirement, car il y avait trop de creux dans son cœur pour qu'il fût jamais comblé plus de soixante minutes d'affilée. L'évidence était là : à ses yeux d'héroïne-née, rien de ce qui ne transportait pas radicalement n'était Amour. Roses était ainsi fabriquée. Elle avait toujours pris les fièvres de l'âme pour ses facultés, l'ivresse pour un état légitime et tout écart sensuel pour un progrès. Et cela la consternait.

Ce soir-là, mécontente d'elle-même, elle s'efforça d'oublier ses vertiges. Essayant de dormir, elle se répéta : je n'irai jamais rejoindre cet écrivain à Paris, cet exalté dangereux qui ne me freinerait en rien ; je dois à présent ménager mon honnête époux qui me fait confiance et qui a divorcé pour moi, ainsi que mes pauvres parents que j'ai déjà tant essorés de dépit ; Oskar Humbert et moi ne nous sommes rien dit d'irrévocable ; aucun accord physique ne nous lie ; je n'ai en vérité rien à dissimuler, absolument rien, passionnément rien ; ma convulsive histoire doit s'arrêter là ; je suis une enseignante honorable, j'ai une maison d'hôtes à faire tourner ; je me calme, je me simplifie.

Avide de quiétude rectiligne, Roses eut tout de même la tentation d'effleurer l'écran de son smartphone caché sous son oreiller. L'amour était-il déjà entre eux ? Attendait-il seulement d'éclater ? L'envie de passion occupait Roses. L'addiction commençait, s'insinuait et la dominerait bientôt. Sans même s'en rendre compte, Roses ne vivait déjà plus que pour le message qui viendrait ou non s'afficher sur l'écran de son smartphone.

Comment aurait-elle pu deviner que de ce marivaudage encore numérique – mais qui déjà charriait des sentiments réels – allait naître... un an de folie pure et de romance hors de toute morale ? Une anthologie de douleurs, une foire aux ivresses qui allait entièrement gommer leurs différences de conditions.

Douze mois hypnotiques d'où le réel serait congédié.

Cinquante-deux semaines de ruptures attachantes, de vérité sans aucun filet et de sexe débridé.

Trois cent soixante-cinq jours de bonheur abrasif.

Deux cent soixante-deux mille huit cents minutes de malheur merveilleux.

SCÈNE 12
(collège très charmant de Roses,
établissement de taille réduite
où tout le monde se connaît)

L'inattendu joyeux arriva un lundi.

Tous les enseignants du collège de Roses étaient réunis au complet dans la salle à manger qui leur était réservée. On y dégustait un calva clandestin que l'époux de la directrice produisait pour sa consommation personnelle. Chacun se sentait au maximum de la transgression au regard de l'administration.

— Mademoiselle Violente... vint alors prévenir l'économe. Quelque chose est arrivé. De... je ne sais pas comment dire.

— Quoi ?

— Mais de qui, on ne sait pas.

— Peut-être que votre conjoint vous fait sa demande...

— De quoi parlez-vous ? s'enquit Roses intriguée.

Les professeurs et la directrice se déplacèrent

dans le hall de l'établissement et chacun crut rêver. La scène qui se présentait à eux n'était tout simplement pas crédible. Un camion venait de livrer mille roses blanches – un déluge de beauté – accompagnées d'un minuscule carton anonyme sur lequel était écrit :

Puisque votre prénom prend un s,
il fallait justifier ce singulier pluriel

Bouleversée autant que gênée par cette irruption de la folie dans son petit monde réglé, Roses vira pivoine. L'établissement embaumait l'amour. L'excès de la situation l'enchanta autant qu'il est possible de l'être et la rassura. Roses adorait que l'amour soit l'occasion de s'absenter du réel ; et là, elle était bel et bien dans une pièce d'Humbert, chavirée et disponible comme personne à la passion la plus vaste ; mais elle fut aussi choquée par cette débauche de dépenses. Le Parisien voulait-il l'épater par ses moyens ? L'idée lui déplut, l'irrita même, l'humilia ; et elle lui en voulut, tout en restant charmée.

Tous ses collègues crurent que l'incroyable surprise venait d'Antoine, bien que le vou-voiement ait intrigué. On se figura qu'une noce mirifique surviendrait bientôt, ou du moins un épisode romantique.

Personne ne songea que la vie réserve ses meilleurs plats à ceux qui raffolent de l'in-vraisemblable.

SCÈNE 13
(bureau d'Oskar à Paris et chambre de Roses
à Saint-Sébastien-sur-Loire)

Un pas irréversible et délicieux fut franchi le lendemain avec un naturel qui les déconcerta. Il les plongea dans une intimité inattendue, surtout pour deux êtres qui ne s'étaient encore jamais rencontrés. Ah comme Humbert aimait lui aussi que l'amour soit une accélération !

Tandis que Roses s'abandonnait devant son ordinateur au plaisir de trier les photographies d'Oskar qu'elle dénichait sur la Toile, il lui confia sur WhatsApp (autre réseau en vogue qu'il affectionnait) :

— Parfois, pour pallier le manque de feu de ma femme, je me donne des satisfactions à part. Notre désir s'est fané.

— À part ?

— Elle est folle de câlins veloutés, j'ai d'autres rêves... et d'autres pratiques moins partagées.

Humbert ajouta, avec une simplicité déroutante :

— Je suis d'ailleurs en train de me livrer à cette compensation, dans le bureau de mon théâtre. Entre deux scènes pleines de gaieté que je retouche.

Il n'avait jamais parlé ainsi, renoncé à ses demi-teintes habituelles pour oser pareille franchise.

Qui plus est avec une inconnue.

Peut-être était-ce là aussi une part de sa joie : rompre les protocoles de l'amour avec cette femme si vivante.

Oskar ne se reconnaissait pas[1].

Cette confession soudaine laissa Roses sans voix car... à sa grande stupéfaction, elle s'aperçut qu'elle n'en était pas gênée. Au contraire, l'aveu d'Oskar lui parut être un signe de confiance et non une goujaterie, alors que le moindre propos déplacé des autres hommes lui avait toujours paru pénible. S'avancer en terre impudique leur était, pour ainsi dire, évident ; cela stimulait l'intelligence de leurs cœurs, et leur envie de se fréquenter.

Jouissant littéralement de desserrer sa bienséance, Roses répondit aussitôt, avec une franchise qui marquait la confiance qu'elle faisait déjà à Oskar, sans qu'elle se l'expliquât :

— Moi aussi, en ce moment précis...

Et c'était exact ; bien qu'elle s'en sentît terriblement coupable car Antoine, si prompt à la juger, avait toujours ignoré cette pratique clandestine, comme il ignorait la part obstinément libre de son être. Sans qu'elle se l'expliquât non plus.

En triant les photos d'Oskar trouvées sur

---

1. Rappelons qu'aucune des pensées de ce personnage n'engage l'auteur de ce roman.

77

Internet, résolument selon son goût, une envie lui était soudainement venue et Roses avait commencé à s'accorder cette joie furtive que l'on tait ordinairement. Tant le bonheur physique reste en Europe une terre coupable.

Pour mieux illustrer les images encourageantes qui l'emmenaient en cet instant vers le plus ardent plaisir, et qu'elle regardait en boucle depuis un moment déjà, Roses envoya carrément à Oskar le lien internet d'une vidéo qu'elle avait dénichée en ouvrant une fenêtre coquine sur son ordinateur. Des images de soumission balbutiante qui lui donnaient du rouge aux joues. Toujours en chamaille avec ses pulsions, Roses savait sortir de sa zone de confort avec légèreté, et sauter dans l'inconnu avec entrain.

À ses yeux, la vie était un lieu où perdre son désir, loin de tout jugement.

Un message de Roses accompagnait l'envoi :

— Je me suis permis d'imaginer votre visage à la place de celui de l'acteur. L'exercice m'a plu. Désirer, n'est-ce pas imaginer ?

— Vous me désirez à ce point ?

— Oui.

Et elle ajouta :

— Surtout dans cette situation.

Oskar reçut le lien, prit connaissance de la scène magnétique qui la mettait en émoi, mieux, en combustion.

— Je vois... je vois.

— Voilà exactement ce que nous ne ferons jamais... précisa Roses. Puisque nous sommes voués à la distance.

— Bien sûr...

De part et d'autre, l'un à Paris, l'autre à Saint-Sébastien-sur-Loire, ils posèrent alors des yeux écarquillés sur la façon dont les protagonistes de cette scène partageaient un orgasme indécent, exquisément purgé de la moindre civilité et pourtant très doux.

La mise en scène suscita leur étonnement, puis leur sidération.

Étrange symétrie lointaine qui les laissa tremblants d'émotion et leur permit, sans qu'ils l'eussent réellement décidé, de supprimer toute modération ennuyeuse entre eux.

Leurs libertés fusionnaient !

C'était cela qui les mettait en transe, pas les images.

Le bonheur d'Oskar s'augmenta encore de ce qu'il n'avait jamais confessé à Anne, si gourmande de sensualité suggestive, les moments d'onanisme qu'il s'octroyait devant ces vidéos qui palliaient son manque d'imagination ; et cet aveu à cette presque inconnue le délivra de la prison de sa vieille solitude. Oskar avait toujours cru qu'Anne l'aurait jugé, et aurait pu lui reprocher de pareilles envies sexuelles. Cet idiot ignorait que la belle

Anne voulait faire de sa vie le récit d'une libération ; celle des conventions qui veulent nous faire voir le plaisir comme il n'est pas.

Avec Roses Violente, tout était simple.

La complexité d'Oskar avait d'emblée droit de cité ; ce qui le réchauffa, et la jeta dans une joie inouïe.

Dès lors, unis par la distance et une confiance quasi illimitée, Oskar et Roses se reconnurent sans avoir échangé un seul mot de vive voix. Vertige si joyeux ! Leurs imaginaires érotiques venaient de se rencontrer autant que leurs vérités nues, grâce à cette indécence partagée qui ajuste et unit. Le sexe franc a ceci de magique qu'il dévoile d'autres secrets.

Aucune peur ne retint plus Oskar de constater l'état réel du couple qu'il formait encore avec la belle Anne. Ces deux-là mijotaient, il est vrai, dans nombre de décalages et d'habitudes. Qu'ils se fussent dépris peu à peu l'un de l'autre n'avait rien à voir avec la stérilité d'Anne.

Les confessions courtes et vibrantes d'Oskar entraînèrent celles, aussi libres, de Roses, dans des proportions qui achevèrent de bouleverser la jeune femme.

Elle eut peur de l'aimer.

Roses ne se reconnaissait plus ou plutôt se reconnaissait trop dans ses paroles déverrouillées ! Enfin, elle s'autorisait à dévoiler à quelqu'un, et surtout à elle-même, l'obscur dédale de son être, sa part la plus énigmatique. À la fois poisseuse, soumise et innocente.

Passé cet échange, Oskar jouit moins de l'attention qu'il se portait que de la sensation de ne plus être isolé sur cette terre et de faire, avec cette jeune femme, exaltation commune.

L'arrachement du masque, quelle délivrance !

Il était donc possible à un homme et une femme de communiquer sans aucun filtre et de s'abandonner en se fichant bien des barrières morales des prudents.

L'amour, songea alors Oskar, doit être un endroit où l'on déverse sa transparence, où l'on respire cette joie-là. Mais comment diable ne pas être drogué d'un tel partage d'érotisme imaginaire et d'authenticité ?

Ai-je rêvé ? s'interrogea-t-il.

Est-il envisageable d'avoir avec un autre être, sur cette terre, une relation qui ne soit ni opaque ni ambiguë ?

Il le fallait bien.

Impossible pour Humbert de se résigner à une vision pessimiste des rapports humains. L'homme ne pouvait pas être fermé à l'autre. L'amour fou devait être clef.

Le soir qui suivit ces aveux, Roses attendit qu'Antoine s'endormît. Puis elle reprit son smartphone et confia sur WhatsApp à Oskar – alité auprès d'Anne qui dormait à poings fermés – la liste des drogues qui s'empilaient depuis longtemps sur sa table de nuit ou dans le secret de ses tiroirs : une plaquette de Valium, une boîte bleue de Seresta, et quelques autres qui lui étaient plus familiers comme du Lexomil ou encore du Xanax.

Puis elle précisa :

— L'alcool, parfois, n'arrange rien.

Hémorragie de vérité.

Bonheur de se confier, de sortir de sa demi-honte.

En lui écrivant cela, Roses rougit et se sentit soudain très mal à l'aise ; car son Antoine – qui sommeillait lourdement près d'elle – ignorait l'étendue réelle de ses dépendances même si c'était lui qui avait exigé qu'elle se traitât. S'il avait su, notamment l'ampleur de sa passion pour le vin, le rectiligne Antoine n'aurait pas manqué de la juger et d'exiger mille chemins thérapeutiques encore plus lourds – rassurants pour lui – dont elle ne voulait à aucun prix.

N'avait-il pas envisagé une fois, dans un

moment de haute panique, un internement hospitalier ? Pour que Roses se reposât, avait-il répété. Ses failles passionnaient à présent Oskar tandis qu'Antoine les redoutait.

Au cours de cet échange nocturne, Oskar n'avait porté aucun jugement sur la fragilité de Roses ou son addiction au malheur exaltant. Sa légère fêlure lui convenait. Contrairement à Antoine, il n'avait pas exprimé la moindre réticence à son endroit, comme si d'emblée cet homme avait été prêt à accepter ses dérèglements et qu'il avait goûté sa folie douce qui le renvoyait à la sienne – dissimulée aux siens. Certains hommes font regretter aux femmes de n'être qu'elles. Oskar suscitait l'inverse chez Roses : la jubilation d'être absolument soi, ce soi mystérieux qu'elle avait commencé à découvrir grâce à lui. Saurait-elle lui échapper toujours ?

— Rassurez-vous, lui écrivit Oskar avant de s'endormir. Nous ne serons jamais l'un l'autre.

— Promis ?

— Je vous le promets. Même si vous êtes la plus désirable personne du monde, avec votre peau que j'imagine caramel.

— À la Martinique, on dit « de la peau sauvée ».

— De quoi ?

— Sauvée de la couleur de ma maman qui, elle, est une vraie négresse. Sauvée des projections dévalorisantes. Là-bas, ça comptait jadis. Les enfants « bien sortis » disait-on, étaient les enfants clairs.

— Si je cède à votre peau, je vais en enfer.

— En enfer ?

— Oui

— Ça peut être délicieux...

— Heureusement, nous ne connaîtrons jamais cela.

— Jamais.

SCÈNE 15
(dans un train bondé, Nantes-Paris)

Deux jours plus tard, Roses était dans le TGV pour Paris, parce qu'à un moment, la gamberge doit devenir de la vie. Et tout emporter ! Le réel a mauvais goût, le goût du trop peu, le goût de l'absence de fantaisie.

Le jeudi était son jour off.

Ses petits élèves pouvaient se passer d'elle une fois par semaine.

Dans le train, Oskar et Roses échangèrent une volée de SMS :

— Où irons-nous pour discuter sans ambiguïté ? lui demanda-t-il.

La réponse de Roses fit bondir son cœur :

— J'ai réservé la suite Bovary à votre nom, dans un boutique-hôtel de charme dédié au cinéma où, dit-on, Musset a aimé George Sand. La confirmation par e-mail m'a été envoyée sur une adresse créée pour l'occasion (pour qu'ils n'aient pas mon nom)...

— Comme vous y allez...

— Je réalise à peine ce que je viens de faire... avec joie.

— Folie passagère ?

— Vous réglerez. Ce n'est pas dans mes moyens.

— L'argent n'existe pas.

— Parole de riche.

— Bien vu !

— Nous souhaitons simplement nous voir, nous parler avec calme... Nous n'allons faire de mal à personne, vous en êtes bien d'accord ?

— Oui.

— Bien.

— Juste nous rencontrer, précisa Oskar.

— Pour vérifier que nous sommes bien réels.

— Face à face (vous sentez ce que ça signifie ?)

— Je le crains, avoua-t-elle.

— Moi aussi...

Un peu plus tard, la conversation écrite reprit :

— On dirait deux enfants. Que quelqu'un nous vienne en aide...

— Dangereux tout ça... mais inévitable !

— Merci de sentir le danger qui nous guette... Vous me rassurez (un peu) car nous ne maîtrisons pas grand-chose...

— En effet.

— J'y réfléchirai avec vous... (nue dans la suite Bovary). Je retire mes mots ! Nous nous tiendrons bien, décemment, je vous le promets. Vous ne me donnerez pas de plaisir.

— Promis.

— Pas de soumission.

— Aucune.

Sept minutes tard – une éternité –, leur dialogue continua :

— Vous m'excuserez si j'ai besoin d'un petit temps d'adaptation les premières minutes en face de vous ? Juste pour réaliser...

— Calmons-nous, supplia-t-il.

— À l'hôtel, je pourrai me déshabiller légèrement si c'est nécessaire pour vous parler... mais nous serons sages. Il le faut, vous le savez bien. Même si vous m'ordonnez certaines choses.

— Calmons-nous (je craque un peu).

— C'est de votre faute ! protesta-t-elle. Ne me séduisez pas si vous voulez que je me tienne bien...

— J'ignore comment le désir s'apaise.

— Si, vous le savez bien.

— Sans vous... difficile.

— Mais ce sera possible, dans moins d'une heure... Pardon, j'écris vraiment tout ce qui me passe par la tête !

— Je veux qu'avec moi, Roses, vous soyez toujours en liberté.

— Non je ne peux pas. Il faudra que j'apprenne à vous connaître avant. Pour y venir petit à petit... Oubliez cette phrase écrite trop vite.

— J'oublie tout.

— Menteur. Maintenant vous êtes déstabilisé car vous constatez que je ne freine plus qu'une fois sur dix, je le sens bien...

— Oui. Mais je m'attacherai les mains.

— Ça pourrait me plaire.

— Taisez-vous !

— Mon train roule à 300 km/h vers cette suite.

— Où il ne se passera rien.

Trois minutes plus tard, Roses reprit :

— Je ne monterai dans la suite Bovary que si je peux au moins vous serrer quelques instants contre moi.

— Longtemps.

— Peau contre peau.

— Stop, Roses.

— Ah ah... vous voyez bien que je vous effraie !

— Je veux la garantie (ferme et définitive)

que tout à l'heure, sous votre robe vous porterez des dessous.

— Si je reste habillée dans la suite Bovary, je pourrai vous enlacer quand même ?

— Je resterai froid, insensible, distant.

— Par pitié, ne me tentez pas trop.

— Promis.

Une minute plus tard, Roses reprit :

— Je veux seulement vous coincer en face de moi, que vous ne puissiez plus répondre par des pirouettes à mes questions de femme.

— Je suis si heureux, Roses.

— Vous êtes insouciant… Je serais presque admirative si je n'étais pas directement concernée. Je me sens horriblement coupable d'être aussi libre avec vous. Vous n'avez pas peur ?

— J'ai une telle confiance dans la vie soudain.

— Elle vous a pourtant fait souffrir vous aussi, la vie, non ? Comment refoulez-vous la peur (de blesser, de tout casser, de se tromper, de chambouler, de décevoir) ?

— En acceptant la souffrance. Vous souffrirez quoi qu'il arrive, alors vivez, ma Roses !

— Je devrais vous laisser tranquille : il y a déjà trop de vie dans votre vie.

Trente secondes plus tard, Roses lui demanda :
— Pourquoi m'avez-vous remarquée ?

— Nous sommes les mêmes.

— Vous négligez que je gagne un peu plus de mille euros, alors que vous avez de quoi offrir mille roses à une inconnue sur un coup de tête. Nous ne sommes pas du même monde.

— Mais de la même planète.

— Peut-être.

— Même liberté.

— Arrêtez de fantasmer, je suis une personne très réservée.

— Aussi.

— Comment pouvez-vous être sûr de vous à mon sujet... Comment êtes-vous certain de me connaître à ce point ?

— Vous faites écho à ma nature. Et ça me désespère !

— Je suis toujours très touchée par vos mots, espèce de vieux rupin... Surtout lorsque vous pointez nos points communs... mais je sais que vous serez très déçu, car ce sont surtout nos différences qui vous sauteront aux yeux !

— Je condescendrai donc à converser avec une gourde à peau râpeuse ! Mais irrésistible de vie.

— Merci... Rire aux éclats fait beaucoup de bien ! Vous avez parfaitement résumé la situation dans laquelle vous vous trouvez.

— Chère gourde hideuse et fauchée, je crois que je vous adore !

— Imaginez-vous qu'un jour nous serons

dans un lit, infiniment heureux l'un avec l'autre ? Gloups, je me reprends ! Oubliez cette image.

— Promis.

— Avec deux mugs identiques et remplis de chocolat chaud.

— Promis, ça n'arrivera pas.

Cinq minutes plus tard :

— Tout à l'heure, vous ne me direz rien qui puisse me déstabiliser, d'accord ?

— Je serai doux, très doux, répondit Oskar.

— Vous n'utiliserez pas de mots trop forts, alors ?

— Roses, le bonheur ne s'écrit pas d'avance.

— Comme ça doit être facile d'embobiner les femmes avec quelques mots lorsqu'on parle bien.

— Je suis si joyeux de vous.

— En sortant de la crèche de Clémence, hier, je me suis inscrite à un conseil administratif dans le seul but de trouver des excuses, pour pouvoir, à l'avenir, laisser homme et enfant quelques heures. J'ai honte.

— Moi aussi chère gourde délicieuse (mais à peau râpeuse...)

— On fonce droit dans un mur, vous en avez conscience au moins ?

— La vie est à vivre.

SCÈNE 16
(gare Montparnasse, cohue parisienne)

En descendant du train à Paris, sans autre bagage que son élan, Roses eut de l'hésitation. Perchée sur ses talons aiguilles, elle oublia leurs conversations. Devait-elle faire demi-tour aussitôt ? Remuée, elle songea avec légèreté, puis anxiété : « L'amour, ça fait toujours des histoires... » La prudence lui dictait de décamper, de fuir cet homme qui n'était pas de son monde.

Mais l'entraînement de la curiosité – et aussi sans doute l'Amour qui désirait vivre en elle – la saisit à nouveau. Emportée par une envie irrépressible, elle avança tout de même. Un homme qui vous désire, quoi de plus tonique ? pensa-t-elle. Et puis ce rendez-vous l'engageait-elle vraiment ?

Filant dans un lever de robe à corolle, Roses était aussi radieuse que dévorée d'anxiété. Aussi heureuse que malheureuse. Cette femme de vingt-cinq ans, prise dans son âge de feu, était succulente à voir : silhouette flexible, peau caramel frottée de soleil, gorge abondante et lèvres offertes.

Le charme imparable se faufilait parmi la foule.

À l'instar de sa mère, Roses tâchait de toujours donner aux mâles un motif de la désirer, pour les soumettre. Elle n'allumait leur désir que pour les dominer gaiement, afin de mieux les protéger.

Qui aurait pu deviner que derrière la détermination de sa marche pressée, cette fille hésitait à chaque pas entre la culpabilité et la joie totale. C'était là sa maladie, on le sait.

Aussi Roses Violente ne savait-elle pas en sautant de ce train si elle devait être euphorique ou... franchement dépressive. Alors, comme à son habitude, elle affecta un air frivole. D'où le sourire frais et convaincant qui ornait ses traits pour contredire sa détresse, de quoi leurrer les quelques regards qui croiseraient le sien. D'où également les ridules discrètes au coin de ses yeux vert et marron où pétillait un peu d'or, carrefour où ces pensées sombres se donnaient rendez-vous.

Le secret de sa physionomie lisse et solaire ne pouvait être déchiffré que là. Sa patte-d'oie filigranée, noyée dans le mensonge du maquillage, était une serre de vautour ; oiseau de malheur qui hantait constamment le fond de son âme. Son oreille aussi, fine et presque fermée, semblait dire : ne parlez pas à la bête sauvage qui dort en moi.

Allongeant sa foulée, Roses eut alors une moue qui semblait dire « je ne sais plus ce que je sens », avant d'arborer une moue sensuelle et crispée, un peu pincée et enfin de dégoût. Les lèvres parfois créent leur propre amertume, chez les femmes dangereuses pour elles-mêmes. C'était signe que Roses allait prendre sa ration de plaisir, donc faire du mal et s'en faire à plus forte dose encore. Elle n'avait jamais vraiment su se protéger d'elle-même.

Roses essaya de se persuader : je ne risque rien en me rendant à ce simple rendez-vous. Rien du tout, se répéta-t-elle avec une franche hypocrisie. Un déjeuner en tête à tête à Paris n'engage strictement à rien. Rien dont je puisse ensuite me faire le reproche. D'ailleurs, cela tient plus de la curiosité bien placée pour un artiste de haut talent. Je suis une maman professionnelle qui toujours ne pensera qu'à sa fille. Clémence est entre de bonnes mains, je rentrerai vite et rien ne se sera passé. Je reprendrai mes cours, et rejoindrai mes élèves.

Si son prénom portait un *s* – Roses – c'est que sa mère, Grace Violente, prédisposée à l'hyperbole, avait toujours tenu à ce que sa fille aînée puisse devenir plusieurs fois elle-même : qu'elle essaye tour à tour chacun de ses visages, plus quelques masques excitants, et qu'elle ne s'oublie jamais. Cette beauté d'ébène à la figure d'ange avait façonné sa fille à son image, instable.

Issue d'un monde sans grande aisance matérielle, bien que cette élégante eût la tournure d'une bourgeoise, Grace Violente voulait tout pour sa progéniture. Grace descendait donc chaque matin les escaliers de son HLM avec cet air digne propre aux femmes qui ne ressentent rien sinon de la compassion pour des voisines aussi mal loties qu'elle. Railleuses, ces dernières la surnommaient « Barbie » bien qu'elle fût black (ou parce qu'elle l'était), et dans cet âge où, à force de trompe-l'œil et de replâtrages, chargée de bijouterie, elle faisait une ultime impression de jeunesse.

En sautant dans le train pour Paris le matin même, à l'insu des siens donc, Roses s'était sentie mieux que libre : prête à snifer l'incohérence maximale qui, seule, lui procurait un shoot suffisant de sensations. Rabibochant certains compartiments de son être fragmenté, elle se sentait plus que jamais vibrante de questionnements bien qu'elle se soit faufilée jusqu'ici avec l'espoir que ce rendez-vous parisien demeurerait sans conséquence.

Depuis quelques mois déjà (des années à ses yeux), Roses avait réussi à se sauver de bon nombre d'écarts, par bienveillance envers Antoine, même si elle sentait toujours en elle les feux dormants d'un épicurisme extatique.

Il devait bien être possible, s'était-elle persuadée en claquant la porte de son domicile, de ramener son caractère à un style tempéré. Ce jour-là, une collègue et amie de toujours (entendez de quinze jours) avait accepté de garder Clémence, sa fille d'à peine un an, dont

94

elle ne se séparait jamais. Sa poitrine de jeune maman encore gonflée témoignait de sa récente grossesse.

Au milieu de la foule pressée, le doute reprit les rênes.

L'imagination prolixe de Roses ne reculait devant aucune idée. Affolée, elle songea : « L'amour vrai, c'est refuser de laisser vivre la prudence qu'on a en soi. » Une réplique qu'elle avait dénichée dans « Surtout ne rêvons pas », l'une des pièces de jeunesse d'Oskar, élaborée du temps qu'il était religionnaire de l'amour braque ; des mots chargés d'élans qui lui avaient donné le sentiment, exquis et paniquant, qu'avec cet exalté il serait possible de réaliser quelques chimères.

Avançant à travers la gare, elle commença à se représenter différentes hypothèses[1], et se laissa aller à des indécences d'amoureuse qui l'étonnèrent. Collision fulgurante d'images, de fièvres semblables à celles de la vidéo qu'ils avaient déjà regardée ensemble et de licences inassumables en société – donc tentantes. Les timorées, les tourneuses de pages de magazines chrétiens et autres décentes passeront toujours à côté de la vie pleine et entière.

Oskar avait-il annulé ses rendez-vous

---

1. Aucune des pensées de ses personnages n'engage l'auteur…

parisiens dans le seul but de lui procurer les plus fortes jouissances dans la suite Bovary ou ailleurs ? En la traitant, qui sait, de *chienne* ou de *petite pute soumise* ? Cette seule idée lui donna, par avance, une émotion difficile à dompter, tant elle aimait la perspective de déférer à ses volontés, de s'abaisser même.

Ou bien ce garçon avait-il seulement l'intention de l'embrasser délicatement ? Avant de lui faire couler un bain rempli de pétales de roses rouge sang, comme dans ce film américain qui lui avait donné du trouble ?

Ah, comme elle aimait quand l'amour avait un petit goût de voltige et d'expérimentation ; même si des scrupules de morale bourgeoise s'élevaient à chaque seconde en elle et la labouraient de culpabilité. Le dramaturge avait-il envisagé un autre menu ? de la soumettre très rudement, puisqu'elle ne méritait pas mieux (pensait-elle), et de la conduire par degrés, avec des volées d'injures, jusqu'aux portes de l'humiliation ? De la fesser, peut-être, plus âprement qu'elle n'avait jamais osé le réclamer ou seulement y songer ? Car la vraie volupté ne cherche-t-elle pas obscurément à s'irriter par la douleur ? Ou Humbert avait-il, plus simplement, imaginé lui lire de la poésie enivrante en lui faisant beaucoup l'amour dans une robe de mariée parfumée au jasmin ?

Mille scènes incontrôlées – Roses excellait dans l'attelage du bestial et du romantisme – se bousculaient si vite dans sa cervelle, ce qu'elle appelait sa « boîte à images », qu'elle ne s'y arrêta pas ; ces images « pas possibles » comme elle disait, disjointes de toute morale élémentaire, ouvraient des pistes encore infrayées – par elle – vers le plaisir inconnu.

Du sexe, Roses avait toujours attendu, non de simples orgasmes, mais une narration ample, hypnotique, ou du moins du feuilleton. Abaisser ses masques et son seuil de pudeur l'exaltait ; ouvrir les derniers tiroirs intimes l'enchantait ; obscurcir sa libido tout en l'explorant la fascinait.

Les nombreux SMS que Roses et Humbert avaient échangés au cours des cinq derniers jours avaient eu un parfum de folle sincérité : exactement ce qu'elle adorait. Ces messages lui laissaient entrevoir qu'un lien extrême, et essentiellement hasardeux, pouvait naître entre eux. Cet écrivain n'était de toute évidence pas de ces tempéraments balisés qu'elle avait essayés en vidant des coupes dans des soirées nantaises peuplées de collègues. Le dessein de capter son attention introduisait dans sa vie un nouvel intérêt. Elle avait d'abord considéré Oskar comme un Super-héros, puis au-delà de la fusion de l'amant et du héros et, depuis peu, elle le situait dans la région de la joie libertaire où elle désirait le rejoindre.

Pouvait-elle compter sur ce fêlé qui lui ressemblait tant afin de pousser leurs tempéraments à des conséquences extrêmes ? L'idée, effleurée en marchant à toute vitesse sur le quai, l'amusait tout en lui semblant très improbable. Il y avait un tel intervalle social entre leurs deux quotidiens.

L'écrivain qui jouissait des douceurs trompeuses de la célébrité avait-il annulé ses rendez-vous afin de venir la chercher en bas des marches de la gare Montparnasse ? Il lui avait seulement dit que lorsqu'ils se verraient, il tenait à la vouvoyer et à lui serrer la main. Sur ce dernier point, le fanatique de distance s'était montré sourcilleux : aucun baiser, même sur les joues ! Son intention, avait-il affirmé, était de cultiver les mille écarts qui les reliaient.

Plus Oskar avait égrené ses idées afin de tenir Roses à bonne distance, plus l'imaginaire de Roses Violente avait pris flamme. Plus elle avait craint que cet effervescent-né n'entretînt dans le même temps mille liaisons de ce type, épistolaires, barjos et numériques. La renommée d'amour qui l'entourait devait forcément lui assurer un lot d'admiratrices en mal de frissons, songea-t-elle avec exaspération. Presque de la colère.

SCÈNE 17
(devant la gare Montparnasse,
il fait très beau)

Tandis que Roses Violente s'engageait dans la descente des marches de la gare, son âme se remplit d'un souffle de folie amoureuse. Elle sentait sa gorge se dilater, son cœur palpiter jusque dans le bout de ses doigts... Sa souffrance exaspérait en elle l'émotion qui induit à penser que l'on est vivant, malgré les déceptions qui engrisaillent l'existence.

Roses désirait voir cet homme de près, écouter ses mots déséquilibrants et s'abandonner qui sait, à leur magie.

Pourtant elle tenait vraiment au couple qu'elle perpétuait avec Antoine, même si leur sexualité était fanée. Pas question d'anéantir son univers affectif, un an après la naissance de leur bébé. Mais sans qu'elle sût exactement pourquoi, il lui fallait retrouver cet écrivain. Que lui rappelait-il donc pour l'hypnotiser à ce point ?

Tandis qu'elle arrivait en bas de la volée de marches de la gare Montparnasse, en proie aux doutes les plus sévères, Roses aperçut un poster de Marilyn Monroe dans une vitrine : sa professeure d'audace, reflet de son moi chaotique. Elle se remémora combien elle s'était toujours sentie autre, non connectée aux fréquences hertziennes des filles de son lycée, toutes prêtes, hélas, à se complaire dans une sexualité régulière, déjà quasi familiale.

Depuis l'âge de douze ans, dominée par un caractère exagéré, Roses était obsédée par l'envie de convertir le quotidien en une pièce agitée de mille rebonds. Dès la classe de seconde, soutenir de longues résolutions avait ennuyé ses sens. À seize ans, sur la promenade venteuse de La Baule, à l'âge où la féminité l'avait rejointe, elle avait fulminé contre sa jeunesse inutile, en panne de souffle.

Elle avait alors appris à évaluer sa douleur chronique sur une échelle montant de un à dix. Huit était son étiage normal, quand aucun événement n'aggravait son état dépressif minimal.

La découverte par hasard, à seize ans, des auteurs de la Négritude – Senghor, Césaire et Damas – l'avait fait sortir de ce désespoir. L'horizon lui avait semblé jusque-là bouché, mais ces auteurs l'avaient aidée à affirmer son être. L'expérience de la musique soul avait achevé de lui rendre un vernis, très mince, d'estime de soi – sans cesse démoli depuis par Antoine.

Adolescente, Roses s'était dégoté un job dans le cinéma de la ville voisine ; un de ces petits boulots d'accueil qu'on accorde aux filles dont la beauté clignote. Ses amies passaient l'embrasser certains soirs, avant de s'engouffrer dans les salles où la vie grand écran déployait ses sortilèges. Cette position l'avait renvoyée à la sensation qu'elle avait d'être toujours en marge. Pour ses copines, Roses Violente était celle qui devait travailler afin de s'offrir un chemisier neuf ou régler son déjeuner. N'appartenait-elle pas, malgré l'allure pimpante des siens, aux dernières classes de la société locale ?

Dans leur lycée baulois très chic, rares étaient les adolescents qui ne pouvaient pas faire l'acquisition de la fameuse « calculatrice scientifique ». En fin de classe de seconde, les parents de Roses, désargentés, avaient migré dans une HLM détériorée, accentuant le décalage entre la distinction altière de sa mère et leur condition. Roses avait alors déclaré qu'elle abandonnait les mathématiques. Elle conserverait sa vieille calculatrice et n'achèterait plus rien. Rester digne en toute circonstance était un pli qu'elle tenait de son modèle, Grace, alias *Barbie*, une attitude défensive qui l'avait habituée à mentir, voire à manipuler.

Roses devait s'assurer qu'elle n'avait pas rêvé cette rencontre avec Oskar. Il lui était urgent de vérifier que la jolie voix de cet homme pouvait la faire chavirer tout entière ;

et surtout qu'en retour elle provoquerait bien chez ce fougueux un désir suffisant pour le fasciner – et donc l'asservir. Une somme d'envies qu'elle ne s'avouait qu'avec difficulté mais qui faisait déjà naître dans son bas-ventre une douce chaleur qu'elle connaissait trop bien.

Oskar, lui, n'avait jamais croisé personne qui l'eût compris si nettement, si vite et si complètement. Il se sentait plus léger grâce à elle, formidablement vivant et enfin à l'aise avec toutes les facettes de son être complexe. Quelques jours tendus venaient de s'écouler, occupés à attendre nuit et jour – chacun dans le tourbillon de leur vie officielle – la moindre sonnerie d'alerte de leur précieux smartphone.

La distance qui les soudait était progressivement devenue aussi délicieuse qu'insupportable.

Qu'allait-elle donc trouver au sortir de la gare ? Une joie triste, un bonheur blessant ? Oskar Humbert était-il une rencontre de hasard que Roses devait seulement estimer à son prix ? Le début d'un désastre ?

En bas des marches, Roses se sentait en cet instant baril de poudre. L'allumette allait-elle être craquée ? Le pas incertain sur ses talons, elle se hâtait vers la silhouette qui l'attendait de l'autre côté du boulevard.

Oskar était bien là.

Elle respira la beauté robuste de cet homme à pleine poitrine, s'évalua dans son regard. Roses eut alors envie qu'il la désirât.

Oskar l'attendait de tout son cœur, pressentant qu'il allait résulter de leur union une augmentation inouïe de leur être.

Toutes les extases possibles de la passion, Roses les obtint dans cet instant bref, alors que rien n'était encore joué. Les joues teintées d'envie retenue, effarée d'être là, Roses eut néanmoins la tentation de faire demi-tour.

Oskar la désirait ; il devenait donc un ennemi.

Par une liaison d'idées dont elle ne distinguait pas le nœud, il lui sembla qu'elle se heurtait à un mur qui l'empêchait d'avancer vers cet écrivain trop magnétique. Impossible de laisser les coudées franches à la joie très triste qui l'inondait, à la souffrance heureuse qui prenait possession de son être.

Ses jambes flageolaient.

Devait-elle avaler sa ration de Valium, l'un des poisons qu'elle s'administrait de temps à autre ? Une boîte l'attendait toujours au fond de son sac à main, au cas où.

Qu'allait-elle donc devenir si elle risquait un demi-pas de plus vers cet énergumène incapable de réserve et, surtout, de la contenir ?

Pouvait-elle se livrer au péril d'approcher un caractère aussi peu freiné qu'elle ? Comment la plus légère affection pouvait-elle lui être accordée par cet auteur qu'elle admirait, à elle qui ne s'était jamais estimée ? Oskar Humbert pouvait-il sérieusement considérer une fille-de-rien comme elle ? Qui plus est, inapte au moindre engagement ? Non ! Folie pure !

Sur le trottoir, Oskar lui sourit. Il était difficile d'arrêter ses yeux sur Roses sans songer d'abord au plaisir, puis à la tendresse, puis au bonheur de vivre. Quelle cambrure !

Devant elle s'épanouissait le même sourire que sur les photographies qui l'avaient fait fondre.

Oskar semblait en cet instant si heureux de la voir qu'elle ne put s'empêcher d'en être touchée. Joliment mis, doté d'une chevelure abondante et d'un visage encore peu abîmé, cet homme avait l'allure de ces auteurs qui monopolisent le romantisme moderne. Il présentait la physionomie ardente des cœurs fragiles qui savent faire durer en eux la rage de l'enfance.

Autour de lui, des feuilles ocre déjà. Paris revêtait ses habits d'automne. La brise restait d'une agréable douceur. On entendait les vieux marronniers qui disputaient leur feuillage aux bourrasques d'octobre. La figure d'Oskar s'éclaira de légèreté. Après tous ces messages échangés... que promettait leur journée parisienne ?

Roses lui décocha une de ces œillades qui valent bras ouverts et promesse de draps froissés.

Ils s'arrêtèrent, détournèrent les yeux devant le désir qu'ils avaient laissé voir. Chacun retrouva derrière ses paupières baissées sa confusion et son lot d'inquiétude. Perdue, Roses ne demandait qu'à se soumettre corps et âme à Oskar.

Il se sentit alors un lui-même tout neuf, plus jeune, plus entier.

Radieux, il la trouva d'un éclat proportionné à la perfection du modelé de ses traits : à vingt-cinq ans, cette femme était à l'extrême de sa beauté. Un dessert. Fugitivement, il se sentit privilégié et songea : « Tiens, Marilyn Monroe aurait donc une descendance black... » Sa taille bien prise marquait la corolle bouffante de sa robe blanche, un jaillissement de clarté.

Mais à peine eut-il pensé cela que Roses tourna ses talons aiguilles et, à toute allure, remonta les escaliers.

Elle ignorait alors que déguerpir ainsi, c'était faire acte de puissance. Roses devenait soudain le despote des désirs d'Oskar, une position de meneuse de jeu qui l'exaltait tant elle avait besoin d'être le centre de gravité de ses relations.

— Roses ! hurla Oskar.

Elle ne se retourna pas.

Se sauver, c'est être contemplé.

Affolée d'être venue, et trop heureuse pour l'accepter, déjà Roses s'enfuyait.

Mais qui fuyait-elle en vérité ?

Roses était pour elle-même une énigme.

Oskar demeura d'abord figé puis il éprouva une joie semblable à celle qui l'animait gamin quand ses parents osaient vivre dans un monde d'inattendus que rien ne bornait. Ni la logique qui reste le refuge des gens sans folie, ni la terne raison ou la morale. Un univers jubilatoire où se jouait sans cesse la comédie de l'amour entier.

En tournant les talons après avoir parcouru quatre cents kilomètres et avoir menti à son entourage, Roses Violente lui laissait entendre qu'elle était de la même famille que lui, très exactement ce qu'Oskar ne craignait pas d'appeler – de manière assez égocentrique – « une Humbert authentique ». Il l'avait subodoré lors de leurs échanges… tantôt si douce et sexuelle, tantôt sur la plus extrême défensive. Aussi changeante qu'il est loisible de l'être, Roses était bien l'un de ces êtres sans unité ennuyeuse qui portent en eux tous les possibles. Ce qui l'inquiétait assez pour le rassurer. Exactement le genre de femme qui le mettrait au meilleur de sa forme littéraire, pour d'excellentes raisons car sans l'art de vivre avec démence celui d'écrire n'est qu'une version, élégante, de la masturbation.

Oskar ne le savait que trop, et n'en voulait plus.

L'ivresse l'empoigna. L'amour supplée à tous les alcools. Dans quel risque majeur venait-il de mettre les pieds ? Et à quelle drôle de bête sauvage venait-il de s'attacher ?

La tête en feu, Oskar Humbert se crut dans une comédie romantique un peu sucrée. Cet optimiste-né ne vit pas qu'il s'élançait vers une fournaise de souffrances.

L'excitation du moment lui cachait qu'il se regarderait bientôt en pitié. Il en arriverait vite, lui le symbole de la gaieté théâtrale, à un point où se suicider aux neuroleptiques, et non en s'étranglant avec une ceinture lui serait une douce perspective tant chaque seconde lui ferait mal. Il répandrait alors des larmes de joie de trouver du Valium afin de ne plus sentir sa peine.

En quelques mois, l'échelle des souffrances et des humiliations serait dans son existence totalement faussée.

Le malheur jouissif vers lequel il s'avançait, le sourire aux lèvres, deviendrait chaque jour plus âpre. Mais tout cela, Oskar ne le flaira pas.

Bêta, il ne pressentit pas non plus que l'amour allait s'emparer non seulement de son être mais aussi de son temps, et répandre sa clarté sombre sur chacune de ses secondes. Plus vite qu'il ne le croyait, il lui serait interdit d'oublier une fille capable de lui faire tout oublier.

SCÈNE 18
(cohue de la gare Montparnasse)

Roses était à bout de souffle.

Elle galopait dans la gare à la recherche du premier train fonçant vers Nantes. Elle ne serait jamais pour Oskar Humbert de ces femmes qui après avoir été un objectif deviennent des liens.

Mlle Violente se ruait dans la foule épaisse, diluant des grumeaux de voyageurs et délayant les obstacles. Son bonheur même d'être là, extrême et inespéré, la torturait. Sa douleur ? Dix sur dix sur son échelle intime de souffrance.

Un dragueur eut juste le temps de lui laisser son numéro de téléphone ; elle se sentit alors offensée de son trouble, et désolée par l'ascendant que sa beauté sexuelle lui concédait. Même si cela lui plaisait. Roses avait toujours été trop offerte aux sollicitations masculines, et si rarement protégée.

Un départ imminent lui tendit les bras.

Elle se précipita sans billet vers la rame d'acier.

Il lui fallait s'arracher au piège qu'elle s'était tendu en s'aventurant à Paris et faire au plus vite le deuil de son diapason avec cet écrivain trop séduisant. Le départ du train dans une dizaine de minutes la sauverait d'elle-même.

Aucune satisfaction ne vint la consoler, mais elle fut au moins apaisée en trouvant un siège libre.

Roses ne voulait plus que sa vie fût chaque jour douze heures d'erreurs et douze heures d'oubli. Il lui fallait à tout prix se préserver, et sauver sa fille de ses romances obliques. Fini le vent dans la tête, le cœur trop vagabond. Elle était maman désormais. « Maman ! » se répéta-t-elle en y croyant dur comme marbre. Elle porterait des talons plats, collerait au sol. Il lui fallait clore le grand magasin de ses élans. La rame bleutée la conduirait vite vers son sort douillet à Saint-Sébastien-sur-Loire, cadencé d'habitudes.

Roses imagina déjà ses retrouvailles avec le

rectiligne Antoine. Elle se figura son retour à dix-huit heures pile avec la petite Clémence. Le refuge d'une longue tendresse familiale lui parut alors désirable. Les viveuses ont de ces passions pour les bouillottes. Obéissante, elle se blottirait dans leur domicile épargné par les fièvres d'une liberté trop parisienne. Là-bas, Roses serait de l'allégresse allant et venant dans une maison feutrée, immuable.

Elle y trouverait dès le soir une rançon d'équilibre.

Mais bien vite un flot continu d'émotions contradictoires oppressa sa poitrine. Désespérant d'elle-même, elle se dit : « Je ne suis qu'une idiote, inapte à la moindre décision suivie, ignorante de mes propres désirs, une girouette capable de vivre en un mois ce que d'autres ne vivront pas en une vie. »

Tandis qu'elle s'injuriait selon un rituel bien rodé, une silhouette se faufila dans le couloir et vint s'asseoir en face d'elle. Le dragueur de la gare ? Non.

Heureux comme on ne l'est qu'avec une femme soleil, même ombreuse, Oskar s'approcha, se pencha tout près de son visage et lui chuchota à son tour :

— Merci de m'avoir retrouvé.

Roses était au bord du malaise.

La secousse nerveuse était trop forte pour elle.

Que faire ? Elle ne voyait de tous côtés que précipices, malheurs tentants et abîmes charmants.

On annonça que le départ du train était retardé.

L'écrivain se déplaça et prit place à côté d'elle, sa jambe collée contre la sienne. Ce contact bref fut suffisant pour qu'elle eût envie de plus, donc de moins. Une chaleur intense la gagnait, inmaîtrisable. Alors que son cœur rêvait, ses sens exigeaient leur part de feu même si, ligotée par sa pudeur, elle ne se voyait pas l'assumer ouvertement.

Voyant ses pupilles dilatées, Oskar sentit bien son état somnambulique ; et cela acheva d'allumer son amour-propre.

— J'ai envie de vos lèvres… murmura-t-il.

— Lesquelles ? s'entendit-elle répondre, écarlate.

Comment diable Roses avait-elle pu prononcer des mots aussi crus, à la fois si conformes et si contraires à ce qu'elle voulait ? Elle qui ne songeait qu'au romantisme le plus évaporé !

Roses était en cet instant d'autant plus sur ses gardes qu'elle était poursuivie par le souvenir de ses aventures passées, une cargaison d'images importunes qu'elle désirait éteindre.

Elle était de plus coincée entre la vitre

111

du train et le corps de cet homme qu'elle avait exagérément rêvé... Roses ne bougea pas sa jambe nue et sourit à Oskar alors qu'elle aurait voulu le mordre et se dégager. La colère dans laquelle elle était contre cet homme affreusement beau égalait son trouble. Leur attachement ne répandrait sur son existence de jeune maman que du malheur, pensa-t-elle.

Fasciné par ce qu'il sentait d'excès en elle, Oskar lui sourit avec une bienveillance qui dissipa les derniers doutes auxquels elle s'était accrochée. L'évidence criait : « Oskar Humbert est là, pour moi. Rien que pour MOI. »

Dans un ultime élan, Roses évita son regard et se répéta : « Tu es maman, tu n'as plus le droit... » ; mais son corps tout entier se collait déjà contre celui d'Oskar. Elle n'était plus que peau chargée d'envies qui embrumaient son esprit et dissolvaient sa fidélité. Ah, tout amour neuf abolit les précédents !

Alors qu'elle voulait s'écarter, Oskar avança ses lèvres vers les siennes.

Après quelques secondes passées à quelques centimètres de la bouche de Roses, au lieu de l'embrasser, il s'obligea à reculer.

Son baiser demeurait suspendu dans l'indécision du désir, promis, repris, confisqué. Sentait-il que la liberté de cette femme débridait trop dangereusement la sienne ? Avait-il compris que Roses ne pouvait convoiter que l'inaccessible ? S'offrir à elle, c'était saboter leur envie. Se dérober, c'était l'obtenir...

Le cœur de Roses lui parut bondir hors de sa poitrine.

Elle eut alors terriblement envie de ses mains, d'être pétrie par elles (Roses attachait une importance toute particulière aux mains des hommes... la bouche et les mains), elle s'en mordit la lèvre jusqu'au sang.

Oskar ressentit lui aussi l'envie féroce de se serrer contre elle, à la manière d'un drapeau autour de sa hampe. Il eut alors la tentation de caresser sa cuisse, à peine voilée par le tissu de sa robe trop légère, comme s'il en avait eu le droit.

Oskar lâcha alors avec autant de joie que de panique :

— Avec vous, Roses, je me ressemble.

— Moi aussi... je me ressemble.

— Et ça me fait peur...

— Moi aussi.

Blême, l'écrivain se leva et, bousculant les passagers, bondit hors du train avant qu'il ne parte. Il lui fallait filer avant qu'il ne soit trop tard, échapper vite à cette beauté trop tentante. Oui, décamper loin de cette femme qui avivait le dérèglement intime contre lequel il luttait, lui aussi, depuis son adolescence, cette folie douce des Humbert qui avait fini par tuer son père l'année de ses treize ans. L'existence ne pouvait pas n'être qu'un monde fictif, même si sa pièce de théâtre le prétendait.

En s'éloignant, Oskar se crut sauvé.

SCÈNE 19
(bistrot poisseux près de la gare Montparnasse)

Quand Humbert se posa finalement dans un bar, haletant et hagard, il commanda un café. Rassuré d'avoir pris la fuite, et de s'être préservé en retrouvant son esprit joyeux, il en but une gorgée si brûlante qu'il crut s'étouffer !

Autour de lui s'ébattait un inventaire cumulatif du globe, des voyageurs de toutes contrées, des êtres frappés par les secousses du destin.

Il se ressaisit et songea : cette femme n'est tout de même pas la seule créature que la nature ait formée pour mon cœur ! Nos heures de délire passeront vite, elle s'effacera. De nouveaux intérêts m'empoigneront.

Mais une main fine lui tendit une serviette tandis qu'une autre lui caressait le dos, affreusement tendre. Éberlué, il se reprit. Roses, plus capiteuse que jamais, n'avait pas pu s'interdire de le rejoindre.

Elle s'était laissé entraîner dans le sillage de son double masculin. L'effet miroir agissait. Roses Violente ne savait pas elle-même pourquoi elle l'avait suivi. Une seule certitude : ils étaient habités par les mêmes notions sentimentales passionnées, la même volonté d'une existence perdue dans celle de l'autre afin que l'air respiré ensemble soit à lui seul une jouissance.

Oskar avala une autre gorgée trop chaude, se brûla le sourire aux lèvres sans rien sentir, tant il était estomaqué de la présence de Roses. Effectivement, l'air respiré ensemble était une joie pure.

Oskar sut alors, à cet instant précis, qu'il ne s'ennuierait jamais avec une femme qui osait aimer de la sorte, cet autre lui-même. Elle frappait à la porte de son existence en dramaturge authentique, avec un talent rare pour dénier au réel le dernier mot. Oskar le sentit bien : il n'en finirait jamais de la conquérir, de chercher en elle son moi refoulé, sa part obscurément ensoleillée.

Sans réfléchir, il consentit à cette folie.

Oskar prit sa main qui venait de délivrer son dos. Ce fut un tressaillement. Pupilles en étoile, Roses pétillait. La joie d'Oskar était la sienne. Elle l'avait rien qu'à lui, pour elle, même s'ils ne se donneraient jamais l'un à l'autre, jamais, se dit-elle avec une sorte d'ardeur stoïcienne.

Sans qu'ils l'eussent vraiment décidé, saisis par une sorte de démence qui les emporta, leurs lèvres se soudèrent.

Après cet instant trop improbable pour prétendre avoir existé, Roses eut le réflexe de prendre d'eux une photo avec son smartphone qui ne quittait que très rarement sa main gauche. Il lui fallait une preuve irréfutable de l'événement qui était en train de se produire. Ce cliché lui confirmerait que sa normalité – oui, Roses était sûre de ne valoir que peu – n'avait pas fait barrage à l'élan incontrôlé de cet homme de qualité, si convoité par les autres femmes.

Quant à la main droite de Roses, elle était déjà effleurée par celle d'Oskar, mais il y avait de l'impossible dans ce geste, donc du désirable. Jamais Oskar ne s'était senti plus vivifié par une passion dont il ne savait se défendre, ni Roses plus chamboulée de rencontrer un homme aussi disposé à faire folie commune.

— Où allons-nous ? s'entendit-elle murmurer.

— Dans ce café…

— Ici ? s'étonna-t-elle.

— À sept mètres l'un de l'autre.

— Vraiment ?

— Je ne vous veux pas, je ne vous désire pas, je vous supplie de l'entendre.

Oskar se leva, enjamba le bar d'un pas décidé et s'assit en face d'elle, à la table la plus lointaine, sans cesser de la fixer, de boire sa beauté.

Jamais un écart ne rapprocha plus deux êtres.

Sept mètres de vide les collaient.

Leur silence criait, hurlait leur envie réciproque de dynamiter vite leurs inhibitions. En même temps que leur terreur que cela arrivât. S'ils s'élançaient l'un vers l'autre, qui calmerait l'autre ensuite ? Qui des deux oserait mettre des bornes à leurs initiatives et dégonflerait leur imaginaire érotique ?

Tourneboulé, les nerfs à vif et les sens incendiés, Oskar sortit son smartphone, tapa son code PIN – Roses le repéra et s'en souvint aisément, 1-2-3-4 – puis il lui expédia un SMS brûlant :

— Ne m'approchez plus... PLUS JAMAIS.

— Vous non plus, répondit-elle par écrit.

Roses réfléchit et lui posa une étrange question en tapant sur le clavier de son téléphone :

— Voulez-vous une preuve que tout ça, cette journée, ce bar, nous deux, n'existe pas ?

— Oui.

Elle lui expédia alors la photographie qu'elle venait de prendre de leur baiser :

— J'ai eu besoin de cette photo parce que je ne suis pas très sûre que ce moment existe.

Oskar lui répondit :

— Vous n'existez pas, Roses, je n'existe pas, ce bar n'existe pas, vous n'êtes pas irrésistible et nous n'avons pas rendez-vous la semaine prochaine ici, même jour même heure.

À la lecture de ce long SMS, Roses – celle qu'elle se permettait d'être en face de lui – eut la certitude qu'elle entrait de plain-pied dans une pièce de théâtre d'Oskar Humbert, une tragi-comédie aussi virevoltante que celles qu'elle osait parfois improviser dans sa vie. Et cela la troubla car elle avait toujours été l'unique auteure du script de son existence. Antoine, ses parents et les autres hommes qu'elle avait exténués d'amour n'avaient été, jusqu'à présent, que les acteurs très dociles d'un film qu'elle avait signé toute seule. Pas de coauteur à l'horizon, même si les uns et les autres avaient cru, parfois, avoir voix au chapitre. Faire liberté commune mais aussi rédaction commune du roman qui leur arrivait soudainement acheva de l'exciter.

Jusqu'où iraient leurs prises de risques ? Par cette rencontre, l'imagination de Roses se trouvait sollicitée quand, dans sa quiétude molle à Saint-Sébastien-sur-Loire, seule sa vie matérielle était en jeu.

Oskar la dévisagea, fut bouleversé, se leva d'un bond et retraversa la salle pour sortir au plus vite de ce songe avant qu'il ne devienne trop réel.

Tout avait eu lieu comme dans un délire, mais il n'en était pas certain. Il n'était pas concevable de s'engager plus avant dans une histoire qui tenait à quelques SMS. Alors qu'il aimait Anne, la grandeur d'Anne qui dépassait de loin leur frustration de n'avoir pas procréé ensemble. Oskar voulut voir dans cet épisode un transport passager. Il entendait annuler les instants vécus, les renvoyer dans l'imaginaire et gommer leurs échanges de la semaine précédente. Non, Roses n'existait pas. Elle n'était pas de sa famille. Elle n'avait pas pris possession de son désir. La fiction de leur passion ne remplacerait pas sa vie réelle ; même si elle abolissait déjà tout autre sentiment.

Sur le trottoir venteux, Oskar effaça avec soulagement leurs SMS, leurs tweets très privés, leurs messages dingos sur WhatsApp, tout, tout, tout. Il ne fallait en aucun cas que ce coup de foudre triomphe et s'épanouisse trop à la face du soleil. Il devait chasser de son imagination celle qui s'y était introduite.

Pourtant, et Oskar le savait, cette passion à peine née contenait toutes les passions, l'excitation dans le désir, l'exaltation dans le refus, la folie la plus contagieuse dans la rêverie. Cet amour à peine ébauché traînait hélas après lui, comme des parties intégrantes de lui-même, la suppression jouissive de la pudeur et de son personnage social et respectable.

En un mot l'apaisante confiscation des masques.

Tout ce qu'il lui fallait oublier.

SCÈNE 20
(joli café parisien, en retrait de la rue Royale,
dans un passage piéton qui respire le luxe)

Le lendemain, Anne téléphona à Ninon Folenfant, l'actrice qui devait camper le personnage féminin principal, inspiré d'elle. Anne lui donna rendez-vous à la terrasse de l'un de ces établissements où le Paris qui fait l'époque se montre. Toutes deux étaient liées depuis le Conservatoire.

Anne posa sa ravissante canne — qu'elle utilisait pour s'aventurer en ville et ne pas trop peser sur sa cheville encore fragile — contre le mur et lui demanda tout de suite :

— Comment se passe la répétition ?

— Difficile... pour le pauvre Hector aussi.

— C'est-à-dire ? s'enquit Anne.

120

— Hector ne se plaint pas, il a l'habitude d'être malmené... m'a-t-il dit.

— Que se passe-t-il ?

— Les scènes changent constamment, comme si Oskar ne savait pas où va la pièce.

— À ce point ?

— Il a même changé le prénom de mon personnage. Fanny est devenue... Rosalie.

— Rosalie... Il a changé... seulement son nom ?

— Non... sa nature, son tempo... désormais trépidant.

— Qui est Rosalie ?

— Parfois je me demande si elle a notre âge.

— Qui est Rosalie ? répéta Anne en prenant une légèreté qui sonnait faux.

— L'incohérence même : à la fois heureuse et malheureuse, gentille et féroce, audacieuse et effrayée... J'ai du mal à la cerner. Elle ne se connaît pas.

— Séduisante ?

— Très.

— Très ?

— Fabuleusement. Avec elle, tout peut arriver.

— Ah...

— Hector s'appelle toujours Oskar ?

— Oui.

— Son personnage a bougé, lui aussi ?

— Oui.

121

— Dans quel sens ?

— Plus heureux, léger, épanoui. Il dégage une joie inouïe.

— Ah…

— Oskar est-il amoureux de Rosalie ?

— Fougueusement.

— Ah…

— Tu es inquiète ? lui demanda Ninon.

— Pour la pièce, oui…

— Mon personnage était comment au départ ? demanda Ninon.

— Oskar était d'accord pour que Fanny aime l'amour durable, la passion la plus quotidienne, ce défi-là. Son caractère provocant, fou, franchement déraisonnable, dans une époque où tout passe vite. Fanny devait incarner la fidélité libératrice qui bouleverse Oskar, une apparente réduction de l'amour mais qui lui assure une authentique expansion. L'éternel amour, quoi.

— Ah…

— L'existence, dans ce qu'elle a de précieux, ne passe que par une porte étroite.

— Heu… ça, je ne sais pas.

— Ce n'était pas une question, répondit Anne.

SCÈNE 21
(maison d'hôtes de Roses
et bureau d'Oskar jonché de papiers,
noyé dans un désordre de notes)

Derrière la paroi impénétrable de son joli front, Roses accumulait les sensations, et les laissait produire en elle un nouveau moi. Un moi fabuleux qui n'était que son masque – très convaincant. Ninon aurait pu ajouter ce trait à son personnage lorsqu'elle avait essayé de dépeindre celui de Rosalie. Mais il était un point sur lequel elle ne s'était pas trompée : avec Roses-Rosalie, tout pouvait survenir à chaque instant : un élan superbe, une indifférence au danger, un détraquement heureux, un malheur intéressant.

Oppressée des paroles de feu qu'elle avait pu écrire sur son smartphone et installée dans son salon, calée dans ses coussins comme à son habitude, Roses tâcha de se persuader qu'elle avait feint ses sentiments. Pour s'en convaincre, et afin d'éteindre une part trop vivante d'elle-même, elle tâcha d'entasser dans sa cervelle des raisonnements froids.

Mais pour croire tout de même en ce qu'elle venait de vivre avec Oskar Humbert – qu'elle ne parvenait pas à clore tout à fait –, elle résolut de conserver tous leurs SMS, tweets et messages échangés sur WhatsApp en réalisant furtivement, à l'insu d'Antoine occupé dans la cuisine, des photographies de l'écran de son smartphone – des « screenshots » – qu'elle prit le soin d'archiver dans une application coffre-fort de son téléphone, protégée par un code secret complexe. Nul hacker ne saurait jamais le percer.

Cet acte inquiéta Roses. Planquer ces « screenshots », c'était s'avouer son délit ; dissimuler, c'était insérer ce qui venait de lui arriver dans son quotidien déjà très double.

Roses se dit alors en songeant à Antoine : le secret, s'il advient entre deux cœurs qui prétendent s'aimer, ne détruit-il pas le charme ? La dissimulation ne jette-t-elle pas dans l'amour un poison qui le flétrit ? Son imagination s'irrita davantage des obstacles qu'elle s'imposait, et s'empara dès lors de son existence alors même qu'elle désirait y échapper. L'amour qu'une heure auparavant elle s'applaudissait de simuler, elle le ressentit tout à coup avec une sincérité odieuse.

Roses saisit alors son smartphone.

Pour commencer, sa main chercha sur la Toile des photos de son épouse Anne Humbert. Aussitôt Roses pensa qu'elle était d'une grande beauté et qu'Oskar était vraiment curieux de la délaisser pour elle.

Puis, sans hésiter, elle interrogea à distance

sa boîte vocale en tapant le 06 08 08 08, mais au lieu de composer son propre numéro elle composa à dessein celui d'Oskar. Une voix doucereuse la pria de faire connaître son code PIN. Elle fournit celui d'Oskar qu'elle avait retenu dans le café près de la gare Montparnasse – 1-2-3-4 – puis elle écouta avec la plus extrême attention ses messages vocaux archivés. Sensation délicieuse de violer le secret de la vie de l'écrivain qu'elle avait tant essayé de deviner.

La voix familière de quelques grandes célébrités lui fit sentir que leurs mondes étaient bien distincts. Oskar avait l'air de raffoler de l'éclat des dingos et du pittoresque des caractères forts.

Les messages d'Anne, eux, ne l'inquiétèrent pas. Posée (oui, la jolie comédienne s'interdisait désormais d'accéder à sa part de démence), elle avait cette voix un peu plate, sans passion ni fantaisie, qui retient mal un homme, bien qu'elle fût d'une troublante tendresse ; trop attachée aux valeurs familiales, Roses ne parvenait pas à envier une compagne légale.

Mais elle s'inquiéta de ressentir une jalousie féroce lorsqu'elle entendit les voix d'autres femmes qui minaudaient sur la boîte vocale d'Oskar.

Sans réfléchir, d'autorité, Roses effaça les

messages. Elle fut tentée de noter leurs numéros pour leur expédier à toutes des SMS vengeurs, pour décharger sa jalousie corrosive ; puis elle se calma.

Mais que faire de son coup de foudre ?

L'évidence était là, douloureuse : elle était bien conquise. Considérer ses émois avec la distance de l'ironie ? S'abstraire de ses émotions en s'en moquant avec dédain, ou glacer entièrement son cœur ? Devait-elle orienter le flot de ses appétits vers le pauvre Antoine qui, après tout, ne la contentait pas si maladroitement ? Ou chasser les images charnelles qui encombraient son imaginaire dès qu'elle songeait à l'écrivain parisien ? Images furtives et si crues – envie de le boire notamment, qu'il lui donnât à boire plusieurs fois par jour – qu'elle ne se reconnaissait pas, elle qui pouvait chanter à tue-tête les chansons de Cendrillon et toutes les mélopées des classiques de Walt Disney !

Depuis son retour à Saint-Sébastien-sur-Loire, un vide inouï s'était creusé en Roses. Le besoin que quelque chose se passe.

Le soir même, elle s'obligea donc à désirer Antoine, en prenant l'initiative de le chouchouter avec toutes ses lèvres – alors qu'elle ne lui offrait plus depuis longtemps ce type de faveur. Puis elle le posséda avec une rare intensité. Il lui fallait de toute urgence libérer ses ardeurs nées de sa rencontre avec Oskar, les exténuer pour mieux s'en défaire.

Comme son plaisir tardait à venir en se laissant posséder en cuillère et de manière fort maritale, et afin de ne surtout pas croiser le regard d'Antoine, elle ferma vite ses yeux et convoqua en imagination des images plus excitantes d'Oskar pour s'accorder enfin la jouissance que la réalité physique – le sexe actif d'Antoine – lui refusait. Cela acheva de la bouleverser.

Elle fut alors traversée par un orgasme excessif, délirant, l'un de ces tsunamis qui ne se trouvent, dit-on, que par la transgression.

Roses pensa alors : il ne faut surtout pas que j'avoue cela à Oskar. Je ne dois jamais succomber à cette tentation, et m'interdire cette confession impudique même si j'en ai soudainement envie, même si cet aveu nous prouverait à tous deux notre degré d'intimité, la transparence qui déjà nous unit, sans que je le veuille – parce que c'est ainsi.

À peine son mari fut-il endormi, satisfait et légitimement heureux de lui avoir donné tant de joie, sans même soupçonner que Roses venait en réalité de jouir d'un écrivain parisien, que l'infidèle fut rattrapée par son tempérament de joueuse.

Roses se faufila hors du lit et descendit au salon pour consulter son smartphone.

Ce geste disait son addiction. La modernité incline à l'infidélité numérique. Les clients britanniques de sa maison d'hôtes étaient déjà alités. Pas une seconde Roses ne se douta qu'Antoine n'était pas réellement assoupi. Sur le qui-vive, tendu, il veillait.

Un SMS d'Oskar attendait Roses : « Vous dormez ? »

Les mystérieux rouages du cœur s'étaient mis en branle de part et d'autre, à Paris et à Saint-Sébastien-sur-Loire. Oskar avait trahi le premier sa résolution, dans une synchronicité qui accéléra le pouls de Roses. Comment ne pas y voir un signe ? les prémices d'une chose plus vaste, d'un amour inarrêtable ?

— Vous me rendez dépendante de vos messages. Arrêtez ! protesta-t-elle.

— Promis. Douce nuit vraie vivante...

— Baisers (absolument) partout, lui répondit-elle sidérée par la liberté qu'elle s'autorisait.

— Vous ne retirez pas vos mots ? s'étonna Oskar.

— Si, rassurez-vous.

— Vous me réveillez de toutes mes léthargies.

— Vous aussi, Oskar. Vous m'aurez au moins rappelé que l'égoïsme ne permet aucun avenir commun.

— Baiser très doux, Roses.

— Ne vous inquiétez pas, quoi qu'il se

passe dans votre vie je ne la bousculerai pas davantage, et ne vous demanderai rien.

— Je n'ai peur de rien.

— Bien sûr que vous avez peur, je suis en train de tomber complètement sous votre charme.

— C'est dangereux ?

— Je ne suis pas de ces femmes qui disqualifient les faits au profit des mots. Je témoigne un grand égard à la sensualité concrète.

— Donc ? hasarda-t-il.

Sans réfléchir au risque qu'elle courait, ne songeant qu'à son envie, l'âme morcelée, Roses répondit :

— On se retrouve sur Skype. Tout de suite. Coupez le son !

Paniquée par sa témérité, elle éteignit aussitôt son smartphone et ouvrit une bouteille de bordeaux. Elle se jura de ne pas donner suite à sa proposition. Plus jamais elle ne le contacterait. Jamais ! Oh non jamais ! Comment avait-elle pu lui écrire « Baisers (absolument) partout » ou « Je témoigne un grand égard à la sensualité concrète » ? Il lui fallait songer uniquement à sa petite fille, à son couple et accepter enfin la maussaderie de son existence – ne serait-ce que par le consentement à la léthargie.

Armée de détermination, Roses commença à regagner leur chambre à l'étage, en veillant à ne pas trop faire craquer les marches qu'Antoine entendit cependant. Si l'esprit de son mari était un livre dont certaines pages manquaient, elle écrirait toutes celles dont elle rêvait.

Encore une fois, Roses faisait volte-face. Lorsqu'elle changeait de pied, sans ou avec alcool, ce n'était jamais d'une manière lente et méditée mais toujours avec un naturel stupéfiant – voire suffocant pour ses proches.

De toute façon, ce que ses amis pensaient d'elle la laissait relativement indifférente ; pour une raison toute simple : dans sa vie pleine de soubresauts, Roses n'entretenait guère d'amitié suivie. Sa plus grande contribution à la civilisation était de savoir se passer d'autrui. Ses amitiés multiples demeuraient épisodiques, vite oubliées, parfois renouées, suturées puis redéchirées. Quant à sa famille de sang, Roses rompait régulièrement avec eux, avant de se rabibocher avec force promesses de ne plus se fâcher.

Par la soudaineté de ses retournements, Roses portait l'inconstance à un degré fascinant. Sept secondes lui avaient toujours suffi pour jeter au feu le drapeau d'une conviction et en brandir bruyamment un autre, hissé à toute force sur les mâts de l'enthousiasme. Il n'y avait pour cette femme divisée qu'une seule chose importante : la vérité fugace de l'instant. Son instabilité si furieusement théâtrale était égale à son enthousiasme contagieux.

Sans surprise, Roses rebroussa donc chemin dans les escaliers – ce qui intrigua Antoine qui s'attendait à son retour dans leurs draps –, et ralluma son smartphone avec beaucoup d'excitation pour ouvrir l'application Skype.

Elle tapa vite le nom d'Oskar Humbert pour l'ajouter à ses contacts et l'appeler.

Réfugié dans son salon tandis que la douce Anne dormait (mais quand se réveillerait-elle ?), Oskar vit la demande d'appel s'afficher sur son écran.

Que faire ?

Ne pas répondre bien sûr.

Humbert était étonné lui-même de ce qu'il souffrait en ne bougeant pas. À sa grande stupeur, il vit alors son doigt appuyer sur l'écran et répondre. Cette amazone réveillait ses fêlures trop longtemps révoquées, et les facilités de la technologie ne l'aidaient guère. Oskar se sentit soudain comme un fleuve russe en plein dégel, reprenant son cours et redevenant vivant. Quelle joie ! Avec Roses, il perdait toute culpabilité à pécher. Sa vérité regagnait du terrain, le désir revenait.

L'image mobile d'Oskar jaillit bientôt derrière l'écran du smartphone de Roses, comme dans un délire. Le sang battait fort dans ses tempes. Flirter avec le péril les excitait tous les deux.

Spontanément, dans le silence de sa maison qu'elle imaginait endormie, un verre à la main, Roses souffla un doux baiser en direction de la caméra de son téléphone. L'ovale de son visage magnifié par la plénitude de la jeunesse ramenait l'écrivain à sa fougue.

Oskar fit de même sur le petit carré en bas à droite de l'écran où il était apparu, blotti dans un recoin de son propre salon à Paris.

Ils se sentaient l'un avec l'autre dans une parfaite aisance et une étrange sécurité, au sein même du danger. Aux aguets de toute irruption – ses clients anglais ou un Antoine furibard –, Roses s'hypnotisa sur ce smartphone par lequel leurs images s'accolaient si étrangement, et s'associaient enfin. Elle fit à nouveau des captures d'écran afin de conserver la trace de ce moment nocturne improbable. Roses avait naturellement coupé le son.

Muets, ils se contemplaient pour la première fois, à quatre cents kilomètres de distance, dans une authentique proximité.

Leurs sourires se faisaient écho.

Oskar détaillait son déshabillé, sans même soupçonner qu'elle venait de faire l'amour avec un autre, qu'elle était encore pleine de ce dernier, mais qu'elle avait joui en pensant à lui seul. Avant-après n'existaient plus. Seul comptait l'instant, indexé sur le bonheur léger qu'ils dérobaient et s'offraient. Seule importait la beauté qu'ils se reconnaissaient l'un l'autre et qui les bouleversait tant ils entretenaient depuis toujours une médiocre image d'eux-mêmes.

Heureuse, Roses ôta son déshabillé et lui offrit la splendeur de ses seins haut plantés qu'elle caressa en fermant les yeux. Elle fut plus troublée encore de sentir la culpabilité qu'elle avait à trahir Antoine sous leur propre toit. En souffrir ne la tempérait pas. Elle était bien la femme de l'audace, l'amante de sa liberté.

Frappé de son éclat sexuel, Oskar la contemplait les yeux écarquillés. Une envie incendiaire l'envahit. Un appétit fou grondait à travers tout son être, sans que sa soif d'étreintes eût quelque chose d'étroit ou de bas.

Fascinée par la beauté d'Oskar, rien qu'à elle au cœur de la nuit, Roses mit son casque audio sur ses oreilles, siffla deux verres de bordeaux, enclencha une musique (de comédie britannique) qui la fit aussitôt frémir et, les paupières closes, continua en rythme à s'offrir et à jouer avec sa chevelure abondante. Une cascade de sensualité libérée par les roulements de la musique qu'il n'entendait pas.

L'érotisme qu'elle dégageait était d'autant plus hypnotique qu'Oskar et Roses ne s'étaient jamais possédés et ne se tutoyaient même pas. Manquaient les étapes habituelles, ces écluses de la pudeur par lesquelles on s'apprivoise avant de se livrer aux derniers abandons. Cela acheva d'embraser Roses.

Son élan coupa le souffle d'Oskar plus encore que la succulente beauté de sa poitrine. L'aptitude au dérèglement de cette fille, loin de l'inquiéter, le sécurisait et le replongeait dans sa folle enfance. Roses avait la plus grande des qualités : elle l'entraînait vers l'inconnu !

En haut des escaliers, en pyjama à rayures, debout et silencieux, Antoine ressentait moins de joie. Il contemplait Roses torse nu et les cheveux en grand désordre. Elle le trahissait dans une insouciance extraordinaire.

Antoine en eut le cœur transpercé.

Un écroulement.

Toute la douleur qu'un homme peut avoir, Antoine la ressentit alors. Il n'était plus qu'un bloc de malheur. Sa vie entière était soudainement habillée de crêpe noir, déparfumée, décharmée de ses plus tendres joies : un lieu inhabitable. Englué dans le chagrin, il demeurait immobile, traversé par l'envie de la tuer mais trop captivé par ce spectacle inconcevable pour bouger. Sa compagne (qui venait tout juste de se donner à lui avec entrain, croupe tendue), la mère de son enfant, était heureuse de fasciner un autre, et de pétiller de désir pour lui. Était-elle éméchée ?

De leur côté, Oskar et Roses étaient en feu. Il n'y avait rien de niais dans leur sentimentalité, rien qui ramasse les pâquerettes de l'émotion. Tous deux acceptaient d'ouvrir les fenêtres de l'inattendu, et d'utiliser le sexe pour cela. Ils éprouvaient un picotement qu'ils n'avaient pas ressenti depuis si longtemps, celui du désir mêlé d'urgence. Heureuse en diable d'être conquise, mais aussi transportée par la musique, Roses ne résista plus au bonheur que cette rencontre lui avait ouvert. Leurs cœurs étaient d'intelligence comme s'ils n'avaient jamais été disjoints.

Oskar jubilait : « C'est une vraie Humbert... barrée comme tous mes personnages, et comme les zozos de ma famille... » Il pensa également que s'il possédait un jour Roses, avec tous les entrains qu'elle lui avait suggérés en lui expédiant plus tôt une vidéo très explicite, il n'en serait que plus fermement attaché à elle ; et cela l'inquiéta. Impossible d'aller ensuite calmer avec d'autres filles les désirs allumés par cette beauté téméraire.

Vibrante d'excitation, Roses prit alors deux feuilles blanches sur lesquelles elle écrivit au Marker, et qu'elle brandit devant la caméra :
JE ME SENS EN SÉCURITÉ AVEC VOUS

135

Puis :
BESOIN DE VOUS PROTÉGER
Oskar frémit.

Roses exultait. Elle avait toutes les cartes en main pour ensorceler cet homme, et la vie lui avait donné tous les atouts pour en jouer avec authenticité.

Glacé d'horreur dans la pénombre et retenant son souffle, Antoine parvint à lire les deux phrases écrites par Roses sur l'écran litigieux.

Il en était certain : elle le trompait avec son jeune collègue de mathématiques, le bellâtre qu'il avait aperçu à Saint-Nazaire, dans le bistrot où il avait pris sa Roses par la taille. Sa jalousie cherchait un rival sur lequel fixer sa haine.

Antoine se remémora un autre épisode, plus sombre, où avec le concours de sa belle-mère et de son beau-père, il avait un soir tenté de faire interner Roses dans une clinique de repos pour qu'elle ne rejoigne pas un autre homme ; il en éprouva de la nausée tout en se demandant s'il n'avait pas eu raison d'envisager cette extrémité. Certes, Roses amenait mille joies légères dans sa vie, mais aussi mille douleurs. Par ses foucades, elle le rendait dingue. Comment pouvait-elle être aussi délicieusement odieuse ? Et avec tant de désinvolture ?

Antoine fit alors demi-tour et rejoignit ce qui était encore quelques minutes plus tôt leur lit, sans savoir comment réagir à un tel événement.

Devait-il étrangler Roses sur-le-champ ou abattre son jeune collègue matheux ? Puis se suicider pour que s'arrête ce cauchemar ? Ou demander des comptes à Roses en sanglotant ? Faire sa valise ? Ou bien refuser en bloc ce qu'il venait de voir et gommer à jamais de son cerveau ce demi-songe ? Cette ultime solution le sauva d'un chagrin incoercible dont il ne savait que faire. Mais la digue du déni tiendrait-elle ?

Devant son smartphone, Roses ne sentait plus la culpabilité. Ce qu'elle faisait, c'était *pour elle*, pas contre Antoine à qui, en cet instant, elle ne voulait aucun mal.

Son âme toujours suractive ne trouverait de repos, pensa Roses, que dans un dévouement amoureux intégral. Elle devait protéger cet homme unique à ses yeux, même s'il ressemblait à un enseignant qu'elle avait jadis convoité et à qui elle avait prodigué d'incroyables faveurs furtives dont elle se sentait encore souillée.

Roses ne respirerait sans peine que si elle obtenait l'assurance que rien de fâcheux n'arriverait jamais à Oskar.

Elle devait s'assurer qu'aucune femme

n'abuserait jamais de sa candeur. Son amour-propre se mêlait à sa crainte, et sa tendresse maternelle à son émoi.

Roses prit une feuille blanche et écrivit au feutre gras :

LAISSEZ-MOI VOUS PROTÉGER !

Une autre feuille poursuivit :

DES AUTRES FEMMES

Déconcerté et captivé par cette fille de premier élan, Oskar saisit à son tour une feuille et lui demanda comment elle comptait s'y prendre.

Roses répondit aussitôt, en faisant courir son épais Marker sur le papier blanc, qu'elle accepterait sans difficulté qu'il convoite d'autres femmes... à la condition qu'il ramenât toujours très fidèlement ses conquêtes dans leur lit commun. Roses substituait naïvement le partage à la jalousie. Pour elle, l'infidélité de son bien-aimé n'était pas un souci si elle y était associée de près. Former un trio qu'elle pourrait mettre en scène avec soin afin qu'Oskar en retirât un plaisir sans pareil ne la dérangeait pas, bien au contraire.

Ainsi, elle serait mieux à même de se l'attacher.

Roses voulait Oskar tout entier et non être sa moitié. Quoi de plus efficace que le poly-amour pour disqualifier les autres femmes tentantes, tout en ayant l'air de les accepter ?

L'aventure de la connivence-confiance tentait cette jeune personne au bord de la Merteuil.

Se sentant étrangement en sécurité grâce à cette proposition, Roses avoua sans ambages et toujours par écrit :

VOUS OFFRIR CE PLAISIR SERA LE MIEN

Puis elle ajouta en souriant avec angélisme :

JE VOUS RENDRAI FOU

Roses avait moins d'appétit sexuel – ces deux-là n'avaient pas encore consommé leur amour ! – que de domination et de générosité ample.

Délivrée de toute pudeur, Mlle Violente assura Oskar qu'elle donnerait beaucoup beaucoup (insista-t-elle) de plaisir à ses amantes de passage afin de garder sur elles un œil attentif, en osant des postures qui marqueraient assez son imagination pour qu'il n'eût plus envie de se passer d'elle. Partager Oskar, n'était-ce pas une façon de le protéger durablement de l'influence des autres femmes dont elle se méfiait ?

Roses déréglait l'ordre naturel des choses.

Oskar éprouvait l'étrange sensation d'évoluer dans un film monté dans le plus total désordre. Ces deux-là n'avaient pas encore goûté au corps de l'autre qu'ils en étaient déjà au triolisme… fictif !

À chaque seconde, l'improbable devenait avec Roses Violente une éventualité. La peur ne tenait plus le volant, la terne logique non plus. Le monde en était considérablement élargi.

En énorme sur une nouvelle feuille, Roses déclara :

AUCUNE NE VOUS AIMERA COMME JE VOUS AIMERAI

Puis elle ferma l'application Skype de son smartphone.

Son image se dissipa sur l'écran.

En éteignant son appareil, seule dans son salon et à demi nue, Roses fut alors saisie de panique : une fièvre de remords la prit. Comment avait-elle pu se conduire ainsi, elle si bien élevée et qui se réfugiait habituellement sous ses airs majestueux et lointains ? Ne venait-elle pas de desserrer les écrous de sa pudeur avec un homme qu'elle pensait connaître mais qui se jouait peut-être d'elle ? Et qui entretenait sans doute des dizaines de relations numérico-particulières ?

Dans son esprit soudainement dégrisé, il ne pouvait pas en être autrement. Oskar était trop beau pour qu'il en aille différemment.

Prise de nausée et de honte, elle remit son déshabillé, bloqua vite le numéro de téléphone d'Oskar et lui interdit l'accès à ses comptes Twitter et Skype ainsi qu'à celui dont elle faisait usage sur WhatsApp.

Roses était impitoyable avec elle-même,

donc avec les hommes. Chaque pas possible d'Oskar dans sa direction lui faisait d'avance l'effet d'une agression qu'elle ne pourrait tolérer.

La peur de la dépendance guidait ses actes ; et elle le savait. Roses haïssait l'empire des hommes, tout en cherchant à régner sur eux. Quand elle habillait ses sentiments de bienséance, elle ne les reconnaissait plus et se prenait à les mépriser.

Elle eut alors soin de dissimuler dans son application protégée par un code secret tous les « screenshots » qu'elle venait de prendre sur Skype de son visage et de celui d'Oskar. Photographies qui attestaient de l'audace qu'elle avait eue.

Puis, apaisée de savoir que l'écrivain ne pourrait plus la solliciter, qu'elle était en quelque sorte protégée de son propre désir, elle retourna se coucher auprès d'Antoine en se répétant à toute force qu'Oskar n'était pas nécessaire à son bonheur. Ah ça non !

Gavé de somnifères, s'accrochant vaille que vaille à son déni, ce dernier feignait de dormir. Il s'obligeait à oublier ce qu'il avait vu. Sa salutaire apathie lui était, une fois de plus, utile. Définitivement, Antoine avait en horreur la romance que goûtait à longueur de livres sa compagne. Il avait peu d'imagination et ne voulait surtout pas en avoir.

Antoine pensait que l'amour vrai s'y perd. Ah, comme il haïssait ce professeur de maths entrevu à Saint-Nazaire !

De son côté, Oskar demeura électrisé et plus épanoui sentimentalement qu'il ne l'avait jamais été.

La joie le possédait.

Toute idée de morale s'était dissoute en lui. Détricotage merveilleux de la culpabilité. Il était rassasié de sensations. Cette fille le désirait et était intéressée à son plaisir comme aucune autre. Elle exerçait déjà sur lui une domination bizarre ; celui des êtres jumeaux avec qui l'on est à moitié de tout.

Roses savait s'autoriser l'impensable : avec elle, la vie pouvait être plus vaste que le réel qui lui était donné, moins enserrée dans des séquences prévisibles. Roses incendiait la raison, défonçait les limites de la décence et plongeait sans peur dans l'eau dangereuse de la transparence ! Et elle le trouvait beau, lui qui se détestait tant et qu'Anne déclarait trop grassouillet.

Le cœur battant, Oskar s'interrogea : et si c'était cela l'Amour, la possibilité d'être prodigieusement vrai à deux ? de cesser ensemble d'avoir peur ? En troquant le besoin de sécurité contre la soif vivifiante de vérité, et en quittant avec délectation les rives de l'éthique

142

minimale. Cette femme, capable de prendre une décision majeure en quatre secondes, lui offrait mieux que du sexe libre. Qu'allait-il lui arriver par elle les cinq prochaines minutes ? Ah, on ne vit qu'autant qu'on s'échappe à soi-même ! songea-t-il avec ivresse.

Son plus cher fantasme n'avait jamais été de s'allonger auprès de plusieurs femmes ; mais ce que Roses lui avait proposé avec une simplicité désarmante était encore plus grisant : la possibilité de vivre unifié, en ne dissimulant plus la portion de son être qui aimait que chaque femme soit un roman, un chemin serpentant dans l'inattendu. S'ouvrait pour Oskar Humbert l'aventure de l'authenticité intégrale ; et cela lui donnait du souffle, un regain de vitalité.

Le sujet de l'infidélité qui fragilise tant les hymens devenait avec Roses un atout pour l'amour, un adjuvant, non une limite. La passion du cœur pouvait donc aller jusqu'à l'acceptation des désirs secrets de l'autre, jusqu'à prévenir chacune de ses envies, afin de le combler et de ne rien désirer d'autre que son contentement. La passion comme une succession de pages blanches, voilà exactement ce qu'il voulait, lui, l'homme épris de théâtre.

Toujours, Oskar s'était senti divisé dans ses couples antérieurs, contraint de taire les intérêts imaginaires qu'il avait eus ailleurs. D'où la sensation d'être à la fois double et solitaire, obligé de devoir dissimuler une part si vivante de son être, honnie et répudiée. Et là, soudainement, une jeune femme délivrée de ses freins et amoureuse comme il ignorait qu'une fille pût l'être, lui donnait la possibilité de ne plus être isolé à deux, d'être anormalement VRAI.

Roses lui avait bien dit : AUCUNE NE VOUS AIMERA COMME JE VOUS AIMERAI.

Cette promesse le tentait encore plus que celle de posséder plusieurs créatures dans la même étreinte, fussent-elles impeccablement belles.

Le plus solide désir d'Oskar était d'être accepté sans réserve, percé à jour et adoré par une fille capable de satisfaire sa part rêveuse et, surtout, de l'inviter dans les dédales d'une sexualité limpide et mystérieuse. Et placée hors de tout jugement !

Comment Oskar aurait-il pu soupçonner que l'offre de Roses Violente tenait à sa folie douce qui reparaissait par intermittence, et que ce qu'il goûtait là était bien la fêlure qui rongeait cette femme morcelée ? Bizarrerie qui faisait d'elle un archipel de désirs incompatibles et créait autour d'elle un champ magnétique. Oskar avait toujours tenu la démence légère, celle des Humbert, en haute estime.

Une voix l'arracha à ses pensées. Anne l'appelait de leur chambre, de leurs draps :

— Qu'est-ce que tu fais, mon chéri ?

— Je rêve… répondit-il. Les yeux ouverts.

— De moi ?

— Elle m'inspire.

— Qui ?

— Ma pièce joyeuse.

— Tu as trouvé le titre ?

— Pas encore…

— Comment comptes-tu faire pour la location ?

— J'ai donné un titre provisoire : « Tout commence ».

Afin de demeurer dans l'état d'exaltation quasi méditatif dans lequel Roses l'avait jeté, Oskar reprit le manuscrit de sa pièce en cours d'écriture. Rejoindre Anne aurait ennuagé ce moment. La faculté qu'avait son épouse à voir les choses telles qu'elle voulait qu'elles fussent l'agaçait. S'immerger dans sa pièce de théâtre et la remanier avec exubérance, c'était demeurer avec Roses par le cœur. Ah, comme il était heureux d'être voulu par cette femme !

Aussi remodela-t-il la plupart des scènes avec ardeur, en s'inspirant directement des situations incongrues qu'il venait de connaître, notamment cette nuit où rien de concret n'avait pourtant eu lieu. Ces heures naïves ne comptaient-elles pas parmi les meilleures de sa vie ? se demanda-t-il avec effroi et joie.

Roses et lui s'étaient depuis trouvés si reliés que rien à présent ne leur était si proche à chacun que l'autre. Leurs échanges numériques avaient permis cela quand des paroles directes auraient ralenti leur imbrication.

Ses énergiques répliques de théâtre, Humbert ne les arrachait plus de lui-même mais bien d'épisodes coécrits avec cette femme aussi auteure que lui ; et surtout aussi moteur. Au lieu de se battre avec son imagination, il n'avait plus qu'à copier le réel ; ce qui était nouveau pour lui. Le théâtre, soudain, n'était plus une chimère mais le miroir de leur amour. Jusqu'à présent, ses pièces avaient reflété sa nature exubérante (notamment « Un sujet de théâtre »), pas sa vie pleine de désirs refoulés, et sur scène n'avaient grouillé que les personnages qui cabriolaient dans sa seule imagination.

Roses Violente devenait le matériau de son œuvre.

Écrire sous son influence, c'était aussi la remercier de l'avoir rendu à sa folie trop longtemps muselée. Moins un exercice littéraire qu'une tâche d'amour. Éclaboussé de joie et abêti par son émotion, Oskar crut que son bonheur durerait longtemps, peut-être toujours.

Même s'il était permis de penser qu'à se promener trop souvent au bord des précipices, on se met à la merci des pierres glissantes.

SCÈNE 22
(bureau d'Oskar, au lever du soleil)

Au petit matin, face aux toits de Paris, encore éberlué de sa fortune, Oskar n'avait plus qu'une consolation : sa bite fringante dont il prit soin en recourant aux images qui dormaient trop sagement dans sa « boîte à images ».

Manière de rendre hommage à Roses qui mettait sa libido en fête.

Puis il lui expédia un SMS plein de gratitude et d'innocence retrouvée :

— Je sors enfin par vous de ma longue solitude à deux, sans doute la plus cruelle pour le cœur ; car elle laisse croire que l'amour normal c'est cela : une expérience de la solitude. Suis si heureux, soudain ! Si touché de votre confiance. Ma prochaine pièce de théâtre prend forme grâce à vous. Ses actes deviennent, comme malgré moi, la chronique de notre liberté, le répertoire de nos vertiges.

Oskar la remercia ensuite de manière appuyée, toujours par SMS, de l'avoir orienté vers un chemin littéraire plus personnel.

Grâce à Roses, il avait cessé de regarder au-dehors pour rentrer en lui-même. Sa pensée même s'était régénérée et embellie. Quelque chose de sa félicité la plus intime venait de trouver ses mots et sa musique. Par l'expérience nouvelle de la vie qu'elle lui avait proposée et son je-ne-sais-quoi d'emporté, Oskar avait commencé à explorer la part délirante de son âme qui lui enjoignait d'écrire sans la sottise de l'autocensure. Son style même en était changé : Oskar abandonnait la part ornementale qu'on pouvait pasticher de lui. Plus question d'imiter ses imitateurs !

Mais ses SMS ne voulurent pas partir.

Sur l'écran de son smartphone, une mention indiquait qu'ils n'avaient pas été « distribués ». Sans le moindre avertissement, imposant son diktat, Roses avait bloqué sa ligne téléphonique, tout comme son accès à ses comptes Twitter, WhatsApp, Viber, Signal, Telegram et Skype ; tous les réseaux ou systèmes du moment.

Le contact était sectionné.

N'ayant pas d'amis communs, Roses demeurait injoignable.

Après avoir pris possession de l'imagination d'Oskar, la partie la plus précieuse de son être, Roses élevait entre eux un mur de protection. Après l'avoir délivré de sa solitude, elle l'y replongeait.

Ce constat lui étreignit le cœur. Du bonheur plein soleil, Oskar passa en un instant à l'hiver de l'anxiété. Une heure plus tard, son état avait dépassé la détresse. Fin de la comédie. Il lui sembla qu'il n'était plus qu'un morne automate dont les gestes n'avaient plus aucun sens dans cette existence sans vie.

Pour survivre, il disparut dans les écrits de Diderot : ce faux mort dont la vitalité réanimait la sienne.

SCÈNE 23
(chambre et salon Roses, petit matin ensoleillé.
La maison de Saint-Sébastien-sur-Loire
respire la quiétude)

À sept heures, Roses s'éveilla dans une stupeur, encore étourdie de ce qui s'était passé la veille. La tête sur l'oreiller, elle se remémora les mots qu'elle avait inscrits sur des feuilles au Marker.

Honteuse de n'avoir pas su endiguer sa libido, elle ne s'expliquait pas sa conduite et cherchait au fond d'elle ce qui avait pu l'égarer de manière aussi improbable. Malgré tout, elle se sentait légère.

Tandis qu'Antoine se préparait déjà pour filer au lycée Clemenceau, à Nantes, elle maquilla son trouble et dressa le couvert pour les clients anglais de sa maison d'hôtes en souriant ; puis elle prit soin de la petite Clémence qui réclamait son biberon. Les gestes maternels, par leur régularité, l'apaisaient en lui procurant assez de bonheur pour l'aider à franchir chaque matin. Et il y avait aussi son chien hideux dont elle raffolait comme on aime un enfant.

Malheureuse d'avoir coupé les ponts, Roses se sentait tenaillée par son besoin presque maternel de protéger Oskar des autres femmes.

Cette inquiétude virait à présent à l'obsession et s'ajoutait à sa terreur permanente d'y succomber – dans quel fossé cette préoccupation allait-elle la jeter ?

Roses était assaillie par l'envie de débloquer les canaux numériques qui les reliaient la veille au soir ; mais elle y résista avec courage et cette sorte de dépit qui lui donnait à chaque fois une moue dégoûtée.

Effleurer son smartphone la troubla sexuellement (ce constat l'affola bien entendu, elle en eut honte), l'angoissa et la fit glisser vers un élan jugulé, et une fermeté vacillante.

— Au revoir ma chérie... lança Antoine d'une voix apaisée qui sonnait faux.

L'enseignant ne pouvait se retenir d'imaginer, avec panique, qu'elle irait le jour même rejoindre son petit collègue de mathématiques, dont il ne parvenait pas à retenir le nom.

Il chassa cette idée.

À peine Antoine eut-il fermé la porte que Roses palpa son smartphone pour revoir les photographies qu'elle conservait dans son coffre-fort numérique. Le cliché d'elle embrassant Oskar à Paris l'électrisa. Il lui confirmait la possibilité, sur cette terre, de tout vivre ; ce qui l'exci-frayait (mot que Roses venait d'inventer). Une douce chaleur envahit son sexe. La preuve était là, irréfutable, odieuse et excitante. C'était donc vrai.

Après avoir vite déposé Clémence à la crèche, non loin de chez elle, Roses revint à toute vitesse à Saint-Sébastien-sur-Loire pour contempler encore cette photo improbable en se caressant, après avoir, malgré elle, revu sur YouTube des interviews télévisées de cet homme qu'elle aimait.

Dans l'une d'elles, il apparaissait touchant dans le décor de l'une de ses pièces : « Pourquoi il faut vivre deux fois ». Oskar, très à son goût dans un costume trois-pièces, expliquait pourquoi il mettait depuis toujours ses propres meubles sur la scène de son théâtre. Ses mots lui étaient restés en mémoire :

— J'ai besoin de rejouer ma vie en mieux, de la corriger. Dans mes meubles ! L'improvisation des comédiens, leurs variations sur des situations que j'ai déjà vécues, tout cela contribue à faire de l'or avec... ce qui est souvent de la merde.

— Vraiment ? s'étonnait la journaliste émoustillée.

— Prenons cette interview, par exemple.

151

Un peu terne. Voulez-vous qu'on la rejoue pour l'améliorer ?

— Mais... ce n'est pas du jeu. Vous êtes vraiment en direct !

— En direct mais dans un théâtre... où tout est permis !

Elle ne se souvenait plus de la suite.

Seule dans la maison vide, trempée de plaisir, Roses fixa à nouveau la photo de leur baiser et se mit à jouir qu'Oskar Humbert ne la fît pas jouir, de sa frustration même, bien méritée tant elle se jugeait indigne de vivre cet amour, avec ce magicien qu'elle ne pouvait pas s'accorder.

De toute sa détermination, Roses tenait plus que jamais à entasser ses jours auprès du prévisible Antoine, et à perpétuer une vie maritale qu'elle jugeait « saine », et à la hauteur de la médiocre opinion qu'elle avait d'elle-même.

Ce précoce embaumement lui sembla le comble du romanesque, l'apothéose d'une esthétique sentimentale.

Roses savait bien que, si Antoine la suivait à l'avenir dans ses initiatives sensuelles, il ne serait jamais ni le moteur de ces dérapages, ni un coscénariste assez intrépide pour la combler. Était-il seulement capable de lui parler en lui faisant l'amour afin de l'entraîner dans un scénario propre à satisfaire son imaginaire érotique ? Dans le même temps, emportée par les spasmes qui secouaient son ventre, Roses ne pouvait se retenir d'ouvrir mentalement sa « boîte à images », et de fouiller le stock de rêveries qu'elle avait déjà produites.

Une scène folle la fascinait en particulier.

Dans cette séquence purement imaginaire, elle offrait à Oskar Humbert, avec le concours d'une autre femme bénévole – bien qu'elle ne fût en rien lesbienne (au sens exclusif du terme) –, une satisfaction sexuelle hors de tout ce que l'écrivain avait sans doute déjà connu (elle l'avait senti). En obtenant la docilité de cette créature, Roses administrait à Oskar une jouissance suffisamment extraordinaire pour le rendre fou et se l'attacher. Donner beaucoup pour dominer absolument, installer une asymétrie sentimentale, tel était son plaisir. Faire le sacrifice de ses propres besoins érotiques – Roses en avait-elle seulement, elle qui se sentait si vide ? – afin de posséder cet homme, voilà ce qui l'échauffait au dernier degré.

En s'identifiant aux attentes formulées ou non d'Oskar, en les dépassant même ou en les lui révélant, elle l'asservirait. Afin de ne jamais souffrir à cause de celui qu'elle désirait trop. Roses était disposée à s'effacer pour prendre toute la place ; et, pourquoi pas, à négliger les espérances de sa propre sensualité en se fondant dans un pur fantasme masculin.

Les images à trois qui défilaient dans sa pensée la firent jouir sept fois d'affilée ce matin-là, sans qu'elle eût besoin des services diligents du sex-toy dernier cri qu'elle tenait toujours près d'elle. Curieusement, Roses avait des fantasmes solidement bourgeois ; car on sait que la gentry de droite, en France, rêve bien souvent d'un homme avec deux femmes et celle de gauche d'une femme heureuse avec deux hommes.

Rassasiée, Mlle Violente se reprit et songea avec netteté : je n'éprouve rien à l'endroit d'Oskar. J'ai feint le désir et me suis persuadée que j'en ressentais à son endroit. Je suis un caractère tellement divers et changeant que le sentiment que je simule, je m'en convaincs. Les assurances de tendresse dont j'ai entretenu Oskar cette nuit et les jours précédents ont répandu dans mon cœur une émotion qui ressemble à de l'amour, qui en a la saveur et la luminosité ; mais ça n'en est et n'en sera jamais. Oh non jamais, Dieu du ciel !

Fini les tribulations.

Heureusement qu'Antoine est là, près de moi et obéissant, pour stabiliser mon cœur. Personne n'a répandu dans ma vie plus de quiétude. Ses paroles et ses sentiments n'entrent dans mon âme que pour y ramener la sérénité. Notre couple routinier sera peut-être un monument d'efforts ; mais ce sera ma fierté, pour ma fille. Voilà ce dont elle se persuada effrontément après ses sept jouissances.

SCÈNE 24
(bureau d'Oskar, plus désordonné que jamais)

De son côté, à Paris, Oskar se livra aux mêmes abandons que Roses dans une synchronicité parfaite, enfermé à clef dans son bureau. Le sexe joyeux – bien qu'encore mental et solitaire – le guérissait d'années d'accalmie sentimentale. Possédé par son souvenir encore frais de Roses, il se caressa en regardant les « screenshots » de leur dialogue muet sur Skype.

Son excitation physique tenait moins à la beauté des seins abondants de Roses – qu'elle avait si joliment fait déborder de son soutien-gorge avant de les lui offrir – qu'à l'espace de liberté sensuelle qu'elle avait dessiné en quelques gestes ; espace haut de plafond, prodigieusement vaste, où se désagrégeaient leurs solitudes maritales respectives ; espace clandestin et surchauffé où ces deux-là s'autorisaient à être eux-mêmes : des surdoués de l'escapade loin des barbelés raisonnables.

Goûter la bizarrerie de Roses avait permis à Oskar sinon d'accepter la sienne, du moins de la reconnaître et de se réconcilier avec son ADN de grand voltigeur. Mais il demeurait meurtri, pour ne pas dire fracassé, par l'interruption abrupte de leurs échanges.

Bérénice, l'assistante à la mise en scène d'Humbert, frappa à sa porte et le sortit de son état quasi hypnotique :

— On vous attend sur le plateau pour la répétition !

— Ah, oui… ma pièce.

SCÈNE 25
(scène de son théâtre où l'on retrouve ses meubles personnels)

Fatigué – l'écrivain n'avait guère dormi –, Oskar descendit sur la scène avec ses feuilles noircies, salua Bérénice, aussi chaleureuse qu'une banquise, les éclairagistes et les comédiens, notamment Hector Dandieu qui jouait depuis toujours son propre rôle ; puis il leur déclara :

— Le début de la pièce a encore changé… J'en suis désolé, confus, heureux. C'est un véritable maelström qui s'est abattu sur mon texte !

— Dans quel sens ? demanda Ninon Folenfant.

— Tu t'appelles toujours Rosalie, mais tu es plus audacieuse, plus directe, plus libre.

— Mais encore ?

— Dès le départ, tu l'informes que s'il regarde une autre femme, tu es d'accord.

— Rien que ça…

— À condition que ce soit dans vos draps. En ta présence. Tu es prêteuse, mais il y a des limites.

— Je le lui dis comment ?

— Par Skype, la nuit… Dans une scène étrange. D'autant plus qu'ils n'ont encore jamais fait l'amour.

— Ce n'est pas un peu bizarre ?

— Si, mais c'est ça qui lui plaît.

— Ah…

— La possibilité qu'elle lui offre de bousculer l'ordre normal des choses. Le sexe n'est qu'un prétexte, un joli véhicule.

Ninon avait des yeux de faucon plantés sur un visage calme, une paix que contredisait son élocution toujours tendue. Posément, Oskar leur lut son texte remanié pendant la nuit, transposition exacte de ce qu'il venait de connaître. Une effarante démonstration de libertés nourries d'audace.

Intriguée, Ninon interrogea son auteur-metteur en scène :

— Cette fille est...

— ... la femme extrême.

— Je vois.

— Première.

— Et que se passe-t-il après qu'elle a coupé toute possibilité de la joindre ? demanda Bérénice, l'assistante d'Oskar. Quels décors faut-il prévoir ?

— Je ne sais pas encore.

— Elle va au rendez-vous qu'il lui a donné dans le café près de la gare, « même lieu, même heure » ? insista Bérénice qui prenait des notes.

— On verra...

On fit des copies du script de la pièce et les comédiens commencèrent à jouer les premières scènes, à improviser et les mettre en place. Ils y injectèrent ce rien d'émotion feinte qui déjà préfigurait celle qu'ils donneraient lors des représentations.

Fasciné et les yeux dessillés malgré la fatigue, Oskar voyait se recomposer sur son plateau, dans son propre théâtre, les moments qui l'avaient comblé : sa subite sortie de la solitude, leurs échanges frénétiques de messages secrets, les scènes enchaînées à la gare Montparnasse et à ses abords, tout, tout, jusqu'à cette nuit clandestine, ô combien brûlante, où Roses et lui s'étaient parlé silencieusement par Skype. Voir ses acteurs prononcer les mots de

Roses le remua ; il lui sembla qu'elle était là, qu'il retenait ainsi sa présence.

Postée derrière lui comme toujours, Bérénice le surveillait.

Au fond de la salle, dans le clair-obscur de la lumière de service, Anne observait également. Agrippée à sa canne, elle scrutait ce qu'elle ne voulait pas voir et qui se déployait sur la scène. Oskar s'aperçut de sa présence quand il l'entendit rire, d'un rire qui lui parut sans malice. Un rire confiant et sonore qui indiquait soit qu'Anne jouait bien la cécité, soit qu'elle ne soupçonnait pas vraiment que le personnage de l'épouse légitime – une certaine Nathalie – pût être elle, ou plutôt qu'elle pût représenter ses infirmités de cœur, son inaptitude à pénétrer dans le romanesque excessif de son époux.

Oskar, lui, retrouvait avec bonheur par le théâtre tout ce qu'il aimait de la vie : qu'elle fût condensée, concentrée à souhait ; mais il s'avisa que, pour la première fois, il avait vécu avec cette Roses Violente, dans leur monde à eux, des heures aussi échauffées que celles que l'on vit habituellement au théâtre.

— À ce stade de la pièce, lui demanda Ninon, Rosalie sait-elle qu'elle reviendra vers lui ?

— Rien dans l'esprit de Rosalie n'est

jamais stable. Rien, répéta Oskar avec jubilation. C'est aussi pour cela qu'il l'aime. Elle est à chaque seconde cent avenirs inédits, mille revirements... Elle est incapable d'expliquer le mystère de sa vie.

— Elle se cherche ou c'est une folle ? demanda Anne qui, au fond de la salle, hésitait encore à comprendre la pièce de son mari.

— Non, lui répondit Ninon qui venait de saisir la vraie force de son personnage, c'est simplement la femme à qui aucun homme ne peut résister... Aucun. Celle qui n'ennuie jamais le cœur, et renouvelle sans cesse le récit amoureux.

— Elle est le théâtre, soupira Oskar. Toute la liberté du théâtre...

D'un clin d'œil complice lancé à Humbert, Ninon lui fit comprendre qu'elle venait de percer le secret de sa tragédie joyeuse. Par sa mine et son ton nerveux, l'actrice avait deviné que, s'il ne connaissait pas la suite de la pièce, c'est qu'il ne l'avait pas encore vécue.

— Répétons déjà ce qui est écrit, conclut l'actrice. Et improvisons le reste, avec des torrents d'éloquence !

Ninon ne s'était-elle pas dédiée au théâtre pour jouer une vie plus vivante que celle que l'on dit réelle ? Le désordre ordonné sur une scène n'est-il pas le seul vrai ? Le plancher des vaches, voilà le lieu même de l'illusion.

On fait du théâtre lorsqu'on a le sentiment de n'avoir jamais été vivant avec l'espoir de l'être enfin.

Car les souffrances réelles, évidemment, donnent envie de s'absenter du monde sensible.

SCÈNE 26
(armurerie à Nantes)

— Je voudrais un fusil, demanda Antoine, l'œil absent.

Il passa presque une heure dans le magasin à choisir un fusil de chasse ; ce méthodique faisait tout méticuleusement, même les démarches absurdes. Mais au moment de payer, ce faux téméraire s'avisa du ridicule de ses intentions. Avait-il le cran d'exécuter ce professeur de mathématiques qui captait les rêves de Roses ? Le rôle de vengeur qu'il voulait s'attribuer n'était-il pas trop grand pour lui, infime personnage ? Même si pour finir, il pourrait toujours choisir de retourner l'arme contre son propre cœur, en apprenti Werther...

Roses, en large soleil, déréglait sa trajectoire comme elle désorbitait tout le monde.

— Vous prenez l'arme aujourd'hui ou

préférez-vous encore réfléchir ? lui demanda le vendeur qui voyait bien son trouble.

— Heu…

Roses savait hésiter, lui pas.

Il n'en retirait que du malaise.

— Un autre jour… répondit-il.

En quittant l'armurerie, Antoine se souvint qu'il avait aussi la possibilité d'oublier ce qu'il avait vu. D'ailleurs avait-il réellement aperçu cette maudite scène qui lui perçait tant le cœur ? Ne l'avait-il pas entièrement rêvée ? Quelle preuve détenait-il que ce cauchemar s'était bien déroulé sous ses yeux ? N'était-ce pas le fruit vénéneux de son anxiété galopante ? Roses ne lui avait-elle pas fait divinement l'amour juste avant qu'il trouve le sommeil ? Sa voracité sensuelle était la preuve qu'elle le voulait, lui, Antoine Nikos. Aucun autre homme ne pouvait donc régner sur ses sens. Ah, comme on est bête quand on est mordu par la jalousie…

Antoine n'avait pas le talent du jeu. Il vivait sa vie au lieu de la jouer ; ce qui est invivable ! On ne cicatrise bien que dans une comédie.

SCÈNE 27
(dans la voiture de Roses, sur la route entre Saint-Sébastien-sur-Loire et Nantes)

En prenant la route pour rejoindre le collège Sophie Germain où elle professait, Roses formula une évidence : mon cœur a fait le tour de ce qu'il peut supporter. Si je perdais Antoine, mon calmant, je mourrais. Je ne dois plus dévier d'un battement de cœur et ne plus me permettre d'imaginer le visage d'Oskar, ses mains, ses épaules veloutées et encore moins le grain si fin, presque féminin, de sa peau.

Sans parler du goût de son sperme auquel, en femme de très haute pudeur, Roses s'interdisait de penser – bien que cette question restât en suspens et qu'elle envisageât souvent cette volupté. Anisée sa semence ? pensat-elle fugitivement avec culpabilité. Acide ou suave ? Oskar saurait-il seulement la traiter comme il se doit, si un jour elle s'abandonnait ?

Effrayée par ses errances mentales, et par les embardées qu'Oskar provoquait en elle, Roses se ravisa brusquement en balayant ses interrogations malséantes. Indignes de la jeune femme romantique qu'il lui plaisait d'être, en s'appliquant un minimum de cohérence, et surtout de décence.

Roses s'arrêta soudain sur le bord de la

route et dégaina son smartphone ; puis, sans trop réfléchir, elle perfectionna quelques réglages afin que des « alertes » la prévinssent des moindres gestes d'Oskar Humbert rapportés sur les réseaux sociaux. Tout blabla lui serait immédiatement signalé afin qu'elle pût aisément le suivre à la trace sur son écran de poche, en quasi-temps réel.

Il allait de soi que cette curiosité ne signifiait pas pour autant que Roses s'intéressait à cet homme ou qu'elle fût disposée à retomber dans les dangers de la souffrance sentimentale. Pure curiosité de lectrice qui la conduisait à se pencher, comme par mégarde, sur le sort d'un auteur comme un autre qui captait son seul intérêt de lectrice. Non son cœur de femme.

Une seule chose la tracassait désormais : elle se sentait obligée de protéger Oskar et de pilonner les tentatrices qui l'approcheraient. Nécessairement intéressées, se dit-elle. Étant jeune de nature autant que d'âge, Roses y pensait avec une extrême urgence. Malgré tous ses efforts, elle ne parvenait pas à tempérer sa crainte que quelque chose arrivât à cet homme.

Les mains crispées sur le volant, Roses redoutait que son extravagante naïveté – comment pouvait-il l'être au point de ne pas se méfier d'elle ? – ne l'égare, ou qu'une femme cynique n'abuse de sa gentillesse. Ce dernier point l'irritait. Elle avait toujours regardé les jeunes femmes comme des voleuses de temps, avides d'obtenir la considération des hommes et de remporter des victoires de vanité. Aucune n'aurait jamais assez de bonté maternante pour déclarer à Oskar Humbert, « *Je vous aimerai comme aucune ne vous aimera* ». Dès lors, l'écrivain était à la merci du premier minois sans cœur susceptible de lui servir ce qu'il voulait entendre.

Et cela la rongeait.

SCÈNE 28
(domicile de Roses et Antoine, le week-end.
Leur maison d'hôtes est remplie
de clients anglophones)

Les alertes se succédant sur son smartphone – qu'elle consultait dès qu'Antoine était occupé avec l'un de leurs clients –, Roses résolut de s'obliger à éteindre son téléphone plusieurs heures par jour. Et elle le fit. Il lui fallait sortir de cette situation où son attente présentait quelque charme. L'ardeur de son manque – oui, l'écrivain lui manquait déjà à chaque minute – l'exaltait malgré sa douleur. Le smartphone de Roses resta donc inerte dans son sac à main, deux jours durant. Ce qui fut un supplice.

Elle en profita pour lire chaque page de l'un de ces journaux qui se disent de gauche pour pouvoir mal payer leurs journalistes et dont les salaires sont la seule audace.

Tout lui semblait insipide.

Une âme manquait à son existence depuis qu'elle en avait soustrait le souffle d'Oskar.

SCÈNE 29
(salle de classe de Roses au collège, établissement heureux.
Ses élèves semblent l'aimer)

Par chance, le désir ne dort que d'un œil.

En classe le lundi matin, tandis que Roses faisait travailler ses élèves de sixième sur un sujet en phase avec le programme officiel – « Qu'est-ce qu'une fable ? » –, elle fut traversée par une une idée inopinée pour agrémenter son enseignement ; une idée qui lui permettrait de revenir vers Oskar avec assez d'hypocrisie pour l'apaiser.

Humbert ne lui avait-il pas dit : « Je m'engage à ne jamais vous troubler » ? Cette phrase magique à l'abri de laquelle Roses désirait se sentir en sécurité ! Cette garantie d'Oskar ne lui donnait-elle pas la possibilité de le joindre au plus vite sans trop de culpabilité ?

Après que certains de ses élèves eurent écrit au tableau les morales des fables qu'ils avaient imaginées, elle leur déclara :

— Les enfants, et si nous demandions à un véritable écrivain ce qu'il en pense ?

— Wouah ! s'exclama une petite rousse.

C'en était assez pour qu'elle osât.

Roses photographia le tableau noir, ralluma son smartphone et expédia son cliché à Oskar par SMS en le priant de réagir au plus tôt, avant la fin de sa classe. Elle lui envoya tout cela, comme s'ils avaient été unis par une simple relation amicale :

— Que pensez-vous, en tant qu'écrivain, des morales trouvées par ma classe ?

Étonné par cette reprise de contact déguisée en préoccupation pédagogique, Oskar devina que Roses avait besoin d'un prétexte pour le recontacter.

— Puis-je répondre tout de suite à vos élèves ? dit-il.

— Ils ne demandent que cela !

Ainsi le dramaturge rentra-t-il, pour le plus grand amusement des élèves de Roses, dans la vie professionnelle de l'enseignante bretonne en déployant toute son intelligence ludique.

Les enfants harcelèrent l'écrivain de questions par SMS ; il y répondit jusqu'à ce que l'un d'entre eux lançât à sa professeure :

— Et si on faisait ça par Skype ? Moi c'est comme ça que je vois ma grand-mère. Elle habite loin !

— Quelle bonne idée ! s'exclama Mlle Violente.

L'image d'Oskar fit alors irruption en pleine classe, sur l'écran de l'ordinateur portable de Roses. Humbert enchanta les enfants par ses réponses impétueuses. Roses en fut à la fois amusée et contrariée. Plus elle s'éprenait de l'écrivain, plus elle lui en voulait du pouvoir qu'il gagnait sur elle et sur ses sens.

L'air de rien, pour ne pas la brusquer trop frontalement, Oskar finit par proposer :

— Et si j'intervenais un jour en classe, en chair et en os et non plus par Skype ?

— Oh ouais ! s'exclamèrent une dizaine d'enfants.

Ce furent donc les jeunes élèves qui, sans malice, prirent la décision d'inviter Oskar au collège.

— Cela vous ferait vraiment plaisir ? demanda Roses à ses élèves en pouffant.

— Oh oui, madame ! lancèrent-ils.

Par ce biais, la liaison fut rétablie.

Roses n'eut pas à décider de faire ce qu'elle

désirait de tout cœur sans se l'avouer. Le reconnaître, n'était-ce pas déjà s'engager sur une pente vertigineuse ?

Naturellement, au sortir de sa classe, la professeure regretta vivement cet écart. Elle éteignit donc son smartphone en se souvenant que, de toute façon, Humbert lui avait donné rendez-vous – tout en prétendant le contraire – dans le bar situé aux abords de la gare Montparnasse.

Lorsque Roses finit par le rallumer par égard pour Antoine qui n'aimait pas son silence, elle prit cependant soin de bloquer l'accès d'Oskar à sa ligne téléphonique et ses comptes Twitter, Skype et WhatsApp. Il lui fallait se tenir sur ses gardes et se conduire comme la femme obstinément fidèle à Antoine qu'elle était (même si elle pensait, malgré tout, que la vie amoureuse est fondée sur le principe de l'infidélité).

Ne devait-elle pas arrêter une fois pour toutes de s'enivrer des paroles de l'écrivain qui la portaient à des impudeurs qu'elle n'assumait pas ensuite ? Avant qu'elle se reprochât sa déloyauté conjugale, avant surtout que l'écrivain n'abusât éhontément de l'abandon qu'elle s'accordait avec lui, contre son gré, sans que ce dernier lui eût encore montré des preuves de son attachement. La détermination de Roses prit une teinte de solennité et d'affectation ridicules.

Car l'amour est un jeu auquel il faut jouer avec le sourire.

Et si l'on en est incapable, grimacer est le minimum requis. Si l'on n'en est toujours pas capable, on devrait sortir du jeu jusqu'à ce qu'on en soit capable !

SCÈNE 30
*(scène du théâtre d'Oskar,
séance de répétition avec tous les comédiens.
Rivé sur son téléphone, il est totalement absent)*

Oskar, de son côté, fut estomaqué de voir qu'après un tel événement dans sa classe Roses ne répondait plus du tout à ses messages. Et cela l'agita, le rendit absent à sa vie réelle. Comment pouvait-elle être aussi généreuse et soudainement aussi frustrante ?

Un nuage noir s'abattit sur lui.

Cette femme était bien tout ce dont il raffolait sur cette terre ; parce que, avec Roses, l'amour était surdosé d'imprévisible. L'inconnu rôdait à tous les étages.

Oskar avait déjà le cœur si rempli de Roses Violente, et l'imagination si emportée par sa silhouette qu'il était incapable de convoquer sa vieille ironie. Tandis qu'on lui parlait de sa pièce en répétition, il ne répondait pas.

Il songeait : ah, Roses a la physionomie fluide de la liberté, et le visage du soleil ! Ahurissant comme j'ose être moi en face de cette beauté qui a le bon goût de me trouver drôle et charmant. Comme elle, je suis définitivement allergique à cette maladie de langueur qui nous fait vivre sans risque – mais est-ce encore vivre ? –, sans incendie intérieur.

La jubilation sentimentale qu'il ressentait était loin d'être légère ; c'était une faim illimitée de fièvre, une fringale sans cesse stimulée par la félicité que cette femme lui avait donnée en le trouvant « beau, si beau » avec une sauvagerie que l'indolente Anne ne lui montrait plus depuis longtemps.

Anne avait le défaut de désirer modérément.

On hésite à le dire, mais enfin c'est un fait : les inenthousiastes jouent contre elles-mêmes.

(collège nantais de Roses, voiture de Roses,
maison de Roses à Saint-Sébastien-sur-Loire)

Comment Oskar pouvait-il imaginer que
tapie en Bretagne, l'absente de Saint-Sébastien-
sur-Loire était en alerte. Une femme est toujours disponible pour ceux qu'elle aime, même
si elle est très affairée. Alors que les hommes
sont si clos dès lors qu'ils sont occupés.

Tout en menant sa vie, au collège ou dans
sa maison d'hôtes, Roses suivait en détail
chacun de ses déplacements, ses multiples
interventions médiatiques et la moindre
de ses publications sur les réseaux sociaux
– alors même qu'elle s'obligeait à croire en
son couple.

— Peux-tu une seconde laisser tomber
ton smartphone quand je te parle ? s'irritait
Antoine avec une exaspération qui, chaque
jour, allait en s'aggravant.

— Bien sûr... s'excusait-elle.

Mais elle reprenait son téléphone, et le fil
invisible qui la reliait à Oskar. Toutes ces
informations confirmaient Roses dans l'idée
tracassante qu'Oskar avait plus que jamais
besoin d'une protection féminine pour veiller
sur son quotidien foutraque. Mais que faisait
donc son assistante ? Elle avait déniché son
nom sur la Toile en vérifiant au passage, via

Facebook, qu'elle était sans charme ni grande beauté. Ce qui l'apaisa.

Cependant une chose lui semblait certaine : elle ne recontacterait plus jamais Oskar Humbert. La folie de l'amour semblait l'avoir quittée.

SCÈNE 32
(bureau d'Oskar, maison de Roses)

Le lendemain, l'esprit en feu, Oskar nota que Roses lui avait rouvert l'accès à son fil Twitter – la jeune femme avait débloqué son compte sans crier gare –, ce qui lui permettait à nouveau de lui envoyer des messages privés. Que cela signifiait-il ? Que son inaltérable goût du bonheur avait repris le dessus ? Que lui chuchotait Roses en agissant ainsi ? Et le savait-elle seulement ?

Oh, comme il aimait cette fille de le jeter dans mille questionnements quand tant de femmes se présentent comme des chapitres déjà écrits ! Souhaitait-elle qu'il revînt vers elle avec fougue et délire ou voulait-elle se prouver, en laissant la porte entrouverte, qu'elle était capable de l'éconduire ? Et qu'il n'avait aucun pouvoir sur elle ?

Pour en avoir le cœur net, Oskar lui adressa un message privé sur Twitter :

173

— Vous êtes jolie ou follement tentante ?

— Ni jolie ni tentante. Absente… répondit-elle sans délai.

Puis Roses se tut.

Obstinément.

Et elle s'en félicita.

Oskar pensa : cette femme multiplie les allers et retours émotionnels ! Le zigzag perpétuel est sa ligne droite, l'insensé son habitude. Même manière que moi d'entrer en sédition contre les insuffisances du réel et l'impéritie de la vie de couple réduite aux acquêts. Mêmes blocs de nerfs mêlés aux rêves les plus divers. L'un et l'autre nous posons en prédicat que l'impossible doit être essayé. Je suis un auteur pratiquant, se dit-il, elle non-pratiquante ; voilà la seule distinction.

Tandis qu'Oskar, la tête brûlante, remaniait à nouveau sa pièce pour l'ajuster aux événements récents qui le chamboulaient, et lui insuffler une nouvelle fraîcheur, il entendit la voix douce d'Anne qui lisait les scènes par-dessus son épaule.

— Ce ne sont pas les actions du héros le problème, mais son regard. Sa nécessité d'ajouter toujours du piment… alors que tout est assaisonné.

— Assaisonné ?

— Oui.

— Et ?

— Ce serait beau qu'il s'en rende compte à la fin de la pièce... souffla Anne qui avait le cœur plus intelligent qu'Oskar ne le pensait ; sans que le personnage de Nathalie, celui de l'épouse, ait à le lui dire.

— Oui... répondit Oskar sans trop y croire.

Elle disparut en claudiquant.

Anne avait beaucoup de qualités dont celle, au moins, d'être une épouse d'exception. La grande amoureuse ne s'était pas encore totalement dévoilée à son mari, ni à elle-même. Elle mijotait toujours dans la partie calme de son tempérament.

Aussitôt, Oskar eut une idée de piment.

Parce que, quoi qu'en pensât Anne, le romanesque passionnel agrandit le théâtre de l'amour, en pousse les murs. N'oblige-t-il pas les mollassons à se réinventer radicalement pour soutenir le feu des émotions vastes ?

Oskar ne parvenait pas à se défaire de l'ambition d'être anormalement vivant. Une aspiration qu'il n'avait accomplie jusque-là que dans des pièces vibrionnantes comme « Ma mère avait raison » ou « N'écoutez pas, messieurs ! », mais jamais encore sur les tréteaux du réel.

Exercé aux jugements hâtifs et aux pensées bâclées, cet imbécile charmant n'avait pas la profondeur d'Anne. Oskar rêvait d'un coup de théâtre ou d'une ruse pour retrouver Roses.

Elle était bien la seule personne au monde qui lui rappelât son père, ce jeune mort aux allures de météore, la seule femme qui n'obstruait rigoureusement rien.

Humbert se jeta donc sur un piment de premier choix. Il proposa à Roses, toujours via la messagerie privée de Twitter, de leur faire livrer par la poste un exemplaire du même ouvrage. Ils pourraient ainsi le lire ensemble, à bonne distance, afin de synchroniser leurs rêves.

Le titre retenu par Oskar ne les laisserait certainement pas de marbre : *Lettres à Sophie Volland*, de Diderot. Livre hémiplégique – les lettres de Mlle Volland y font défaut – qui retrace la longue correspondance, plus de vingt ans, entre un Denis Diderot fiévreux et une Sophie Volland qui, par ces pages, pénètrent dans le panthéon des grands amants de la littérature. Ce livre plein de suggestions érotisées plongerait inévitablement Roses dans une effervescence sentimentale propre à pulvériser ses ultimes résistances. Oskar, bien présomptueux, en était certain. Les émotions incendiaires des héros de ce livre les feraient aller de concert vers la passion, voire l'élan physique qui se déduit de certaines émotions.

Lire ensemble, trembler à l'unisson en tournant les pages, même séparés par quatre cents kilomètres, n'est-ce pas déjà faire l'amour ? et atteindre la complicité la plus vive ? La lecture partagée entre un homme et une femme n'est-elle pas une manière de préliminaire, d'érotisation du silence et d'entraînement subtil à l'essoufflement ?

Intriguée par le sujet de cette vibrante correspondance, Roses accepta puis tourna bride. Avant de rendre les armes au motif que la littérature serait honorée par ce partage. Antoine ne pourrait lui faire reproche de s'abîmer dans un livre de haute tenue philosophique.

Une heure plus tard, un exemplaire de *Lettres à Sophie Volland* était posté par Oskar. Le lendemain, il était feuilleté par les mains fébriles de Roses :

— Tu as commandé ce livre, toi ? demanda Antoine avec une moue de surprise.

— Heu...

— Tu lis Diderot, maintenant ? s'exclamat-il narquois.

— Heu...

En ouvrant son exemplaire au coin du feu, elle envoya un SMS à Oskar pour l'avertir qu'elle commençait l'immersion. L'écrivain répondit aussitôt qu'il faisait de même, dans la pénombre de son bureau parisien. Cette synchronicité établit immédiatement un rapport complice entre eux.

Agacé qu'elle s'abîmât dans un texte qu'il

n'avait pas choisi, Antoine décampa sans mot dire pour rejoindre ses élèves de khâgne. Il leur assènerait une volée de sentences éternelles de Cicéron.

Tout de suite, la prose ardente de Diderot mit Roses dans des dispositions sentimentales et la conduisit vers d'âpres jugements sur son quotidien. Le rythme de ce texte s'accordait au sien et à celui d'Oskar qui suivait le même tempo galopant. Le plaisir de lire ensemble, bien qu'ils n'échangeassent pas de SMS, s'ajoutait à celui que le récit leur procurait.

En dégustant les pages, ils ne pouvaient s'empêcher d'imaginer ce que l'autre ressentait. Ils se figuraient également que l'autre concevait aisément ce qu'ils éprouvaient.

Ainsi, sans communiquer explicitement, Roses et Oskar demeuraient en relation et nouaient de nouveaux nœuds. Et ce sans plus se poser la question de l'avenir de leur passion. Se taire permet de ne pas soulever les questions qui laissent inquiet et qui, inévitablement, donnent quelque chose de contraint au commerce amoureux.

Ce fut Roses qui brisa le silence, ou plutôt la tension qui naissait de leurs suppositions croisées.

Elle nota au stylo fin sur son exemplaire ses pensées et réactions face à la conduite de ces deux amants de cœur qui s'obligeaient à la retenue et à une pudeur physique et sentimentale. Puis elle prit la page en photo et expédia le cliché sur le smartphone d'Oskar qui, en retour, nota ses propres réflexions sur son livre, les photographia et les expédia à Roses.

Un dialogue par livres et notes interposés s'installa ainsi, au fil des chapitres, sans qu'ils s'adressent directement l'un à l'autre. Dialogue où il n'était question que des choses du cœur puisque la correspondance de Diderot ne parlait que de cela. Les mille questionnements de Denis et de Sophie devinrent les leurs, leurs fougues des tentations vives ou l'objet de commentaires échauffés. Un imaginaire commun se créait, ce qui est bien la matière première d'une grande passion.

L'amusement les gagnait, le fou rire parfois, en même temps qu'ils s'apprivoisaient.

Enfin arriva dans l'ouvrage un passage où il était question, en termes allusifs, de privautés physiques. Roses eut assez de liberté pour noter sur son livre :

— Cette idée me fait de l'effet… un certain effet.

Roses prit cette page en photo avec son smartphone et envoya son aveu à Oskar qui, en réponse, écrivit sur son propre ouvrage :

— Même disposition… Le pouvoir de la littérature ?

Puis il prit à son tour une photographie qu'elle reçut avec trouble. Imaginer qu'Oskar était aussi excité qu'elle de la savoir troublée redoubla son agitation. Elle tâcha de se ressaisir mais s'aperçut que son sexe était déjà ému de ces aveux indirects où l'imagination avait la première place. Le délire des mots permettait celui des sens, malgré elle ; ou plutôt contre sa volonté.

Quelques photographies du roman échangées plus tard, leur conversation dériva, toujours par SMS :

— Vous pensez m'offrir une certaine liberté, grâce à cette lecture parallèle... mais en fait vous me faites prisonnière... Vous en rendez-vous compte au moins ?

— Non.

— Vous me mettez beaucoup d'images en tête avec ce livre !

Oskar se ravisa :

— Conservons des barrières entre nous... Le vouvoiement au moins. Je tiens à ce fossé...

— Moi aussi, répondit Roses en accompagnant son acquiescement d'une photographie d'elle.

Cette fille à crinière et café au lait y resplendissait dans une robe estivale. Lumineuse, elle arborait cet âge qui n'a pas encore été insulté par le temps.

— Je suis censé rester calme ?

— Faites comme vous pouvez... répondit-elle.

— Remettons quelques limites, vite ! Des fossés, des douves. Au secours...

— Je n'ai pas employé l'artillerie lourde... très heureuse que ça suffise.

— Roses, RIEN ne doit jamais arriver entre nous, sinon...

— Comment voulez-vous que je continue ma journée normalement après des propos pareils ?

— Calmons-nous. Vraiment.

— (Vous y arrivez ?)

— (Je suis tout sauf calme)

— Je suis toujours en train de me donner des claques...

— Pour ?

— Pour essayer de réaliser que c'est bien vous qui me dites tout ça... confessa Roses.

— Je vous appelle tout de suite ? implora Oskar.

— Non.

— J'ai envie de votre voix.

— Quand nous nous serons revus vous serez déçu, consterné, guéri de moi, insista-t-elle.

— NON, affirma-t-il.

— Oskar, je vous aime beaucoup, trop sans doute, et ne suis pas à l'aise avec cette idée.

— Moi aussi... J'éprouve un mélange d'élan et de gêne.

— Merci d'avouer votre gêne, vous savez que ça me rassure (mais ça ne change rien à mon trouble, bien au contraire).

— Taisez-vous !

Roses se tut et reprit sa lecture des *Lettres à Sophie Volland*.

Oskar fit de même, de son côté.

Ils lurent de concert un passage presque leste, où la joie d'être ensemble se traduisait en tentations plus précises.

Sachant que les yeux d'Oskar lisaient la même description, Roses se déshabilla et offrit toutes ses lèvres à ses doigts. Toutes. Enfin elle expédia à son double une photographie de ses jambes fuselées qui faisait écho à la description des atouts de Sophie. Le réel augmentait la fiction, illustrait la ferveur galante de Diderot.

Livre en main, Oskar s'abandonna lui aussi à certaines extrémités. Avec fougue, bien que ce rôle en solo ne fût pas fait pour lui. Jamais un texte de Denis Diderot ne lui avait fait autant d'effet. Roses le rendait fou, le portait aux sorties furieuses et il l'aimait déjà de tout cela.

Il adorait qu'elle fût aussi à l'aise que lui dans le chaos.

Oskar était déjà amoureux de son aptitude à la glissade sensuelle. Les autres femmes l'avaient toujours contenu dans les remparts d'une excessive normalité. Au fond, Oskar Humbert n'était pas un jardin à la française mais un terrain voué à la broussaille des émotions.

Ayant atteint ce plaisir qui ne se trouve que lorsque l'imagination s'en mêle, Roses se calma un peu et envoya un SMS :

— Ne m'aviez-vous pas dit que nous n'avions pas rendez-vous, même lieu, même heure une semaine plus tard ?

— Si, répondit Oskar encore brûlant. Dans le café en bas des marches de la gare Montparnasse.

Voltigeurs, ils étaient chacun repris par leur nature.

Poussés à ce degré, le don du romanesque et le goût de l'inattendu sont des forces dont ceux qui en sont habités n'arrivent plus à se rendre maîtres.

Roses continua donc :

— J'avais le souvenir que ce rendez-vous n'aurait pas lieu puisque je n'existe pas et que vous n'existez pas.

— Si ce rendez-vous non pris – nous le savons – n'avait pas lieu, poursuivit Oskar par SMS, j'aimerais une chose… répondit-il.

— Quoi ?

— Si nous nous retrouvions malgré tout à la gare Montparnasse, j'aimerais beaucoup que l'on s'engage tous les deux à… s'enlaidir.

— S'enlaidir ?

— Énormément. Par prudence. Il ne faudrait pas que ça dégénère en cordialité ou plus si affinités.

— Si ce rendez-vous avait lieu.

— Oui, si par hasard nous venions tout de même. Faites-vous terne, moi je mettrai des haillons. Et je me graisserai les cheveux. Faites de même, je vous en supplie !

— J'y songerai.

— Soyons très prudents cette fois !

— Rassurez-vous : j'ai une capacité étonnante à me ternir.

— Cette fois, nous ne nous en sortirons que par une action décidée : soyons laids, répulsifs. Sans habiletés ni coquetteries : immondes. Accomplissons quelque chose de parfait.

— Vous ne connaissez pas ma volonté. De première force, affirma Roses.

— Hum...

— Rassurez-vous, je mettrai un vieux jogging, une paire de grosses baskets et un sweet informe. Serai camouflée ! Bâclée ! Avec un chignon bien serré de vieille bonne sœur, pas un cheveu qui dépasse !

— Si je venais, je serais abject et gluant : atroce à voir, précisa Oskar.

— Merci.

— Vous n'imaginez pas comme je saurai me tenir, si d'aventure vous me provoquiez.

184

Surtout si vous vous mettiez en tête de me faire flancher ce jour-là.

— Je n'y pense même plus, répliqua Roses.

— Je saurai me montrer réservé, méfiant, fermé. Insensible à ce qu'il y a de brûlant en vous. Anesthésié, double ration de froideur. Fini la demi-volonté, les flottements ! Pas la moindre cordialité !

— Ma vie est droite, affirma Roses. Vous n'avez aucun pouvoir sur moi.

— Nous n'avons donc pas rendez-vous vendredi à seize heures trente. Je vous le rappelle !

— Vous n'êtes pas irrésistible, s'obligea-t-elle à écrire.

— Vous non plus.

— Suis désolée d'avoir perturbé votre vie.

— Vous pouvez l'être.

— Soyons clair : moi = narcissisme, pétasse, vide cérébral absolu, connerie certifiée, mocheté arrangée, débilité profonde. Ouvrez les yeux, Oskar !

— Ouf !

— Qu'aimez-vous le plus chez une femme ?

— Les épaules nues...

Vingt secondes plus tard, Roses lui expédia une photographie de ses épaules en chair accompagnée de ces mots :

— Vous ne les aurez jamais ! Jamais ! Jamais !

— Suis-je censé rester calme ?

— Quand vous me dites ça, j'ai envie de vous garder.

— Entre vos jambes ?

— Ça suffit les fantasmes !

— Alors ne me gardez près de vous que par vos yeux.

— Je vous tiendrai avec ce que je veux, lâcha-t-elle.

— Je suis toujours censé rester calme, là ?

— Plus que jamais.

— Promis. Promis. Promis.

— Vraiment ?

— Vous faites écho à ma nature. Mais...

— ... j'ai votre parole que vous ne tenterez pas de me troubler.

— Je vous veux sur moi.

— J'en ai très envie aussi.

— Si vous saviez comme j'ai envie de vous avoir à califourchon sur moi...

— Arrêtez ça ! Ce n'est pas gentil de me refiler de telles images.

— Je serais capable de vous accepter sur moi sans vous toucher, en me retenant de tout.

— On peut essayer ça, juste par curiosité. Et défi.

— OK et vous verrez, je tiendrai (me couperai les mains).

— Heureusement que nous jouons en parlant ainsi, que nous ne sommes pas sérieux une seconde et que j'ai votre parole qu'il ne se passera jamais RIEN !

C'est ainsi, en s'appliquant à se déplaire hypocritement et en se jurant mille distances, qu'ils parvinrent à la veille du jour où Oskar prétendait ne pas lui avoir donné rendez-vous, une semaine après. À la même heure dans le même bar situé à la même sortie de la gare parisienne.

Tous deux étaient résolus à ne pas s'y rendre. Allumés d'envie, ils se créaient toujours plus d'interdits à transgresser et d'enjeux excitants.

Roses ne ferait jamais partie des beautés passagères pour Humbert. Et lui ne serait pas de l'essaim de garçons qui avaient régné sur son catalogue de fantasmes. Oskar et Roses comprenaient assez les dangers de leur position. Ainsi que le risque de se détraquer s'ils cédaient l'un à l'autre.

Voilà à quoi tous deux songeaient en lisant chacun de leur côté les émois contenus de Diderot. À chaque page, ce livre accordait leurs rêveries dans une curieuse stéréo.

En se recoiffant devant le miroir, Anne
lança à Hector Dandieu, l'acteur qui tenait
le rôle d'Oskar :

— Ces deux heures sont une parenthèse.
Elles n'existent pas. Nous n'en parlerons plus
jamais. N'y fais jamais allusion, je t'en prie.

Méditatif, Hector était encore nu dans les
draps froissés. Il était de ces hommes qui, s'ils
fracturent souvent les serrures des êtres, cade-
nassent solidement la leur.

— Avec qui viens-tu de faire l'amour ?
lança-t-il.

— Qui ?

— Moi ou Oskar ?

— Sait-on jamais avec qui l'on fait l'amour ?

— Moi ou un Oskar... qui t'échappe ?

— Dans la pièce ?

— Oskar ne pense plus qu'à Rosalie, la
pièce tourne désormais autour d'elle. Il en
oublie son propre personnage ! Il me néglige.

— Il nous oublie tous... lâcha Anne. Et moi
je fais n'importe quoi.

— Pour te rassurer ?

— J'ai honte.

— Tu ne devrais pas.

— Le bonheur d'aimer n'est pas cette bêtise

charmante qui fait tourner la tête et qui coupe le souffle. Les lignes du cœur peuvent être intelligentes, non ?

— Je ne crois pas, répliqua l'acteur en prenant la voix d'Oskar.

— La passion n'a pas tous les droits ! s'exclama Anne.

Prenant conscience de ce qu'elle venait de faire, Anne eut le vertige.

Qui devenait-elle donc, sous la pression de l'inquiétude ?

Se pouvait-il que l'amour fou déréglât à ce point son caractère ?

SCÈNE 34
(devant la gare Montparnasse)

Le lendemain, Roses arriva en premier au bas des escaliers de la gare Montparnasse, à deux pas du café. Après avoir culpabilisé à mille reprises et manqué de vomir plusieurs fois.

Comment avait-elle pu monter dans le train pour Paris en mentant aussi froidement à Antoine qui la croyait candidate à un concours administratif, et au chef de son établissement qui l'imaginait souffrante ? Mais surtout à elle-même car Roses s'était persuadée – avec le soutien d'un peu de Valium et d'une bouteille de graves – qu'elle ne venait à Paris que pour éradiquer son trouble. Elle se figurait le dissiper en l'affrontant de face pour le dissoudre et, au passage, décourager une fois pour toutes les élans réitérés d'Oskar.

Naturellement, Roses avait enfilé sa robe la plus légère, noire à pois blancs et à jupons virevoltants qui révélait ses jambes et rehaussait sa poitrine abondante. Elle faisait d'elle un sorbet de fraîcheur. Ce fin morceau de textile aimantait tous les regards obliques vers sa silhouette impeccablement dessinée.

Oskar ne se trouvait pas en terrasse.

Le choc de son absence la laissa pantelante.

Roses n'était pas experte en déconvenues amoureuses.

Toujours elle avait soumis les mâles et piloté leurs désirs.

Elle s'était donc préparée à toutes les attaques, toutes les ironies frontales et autant de dédains, mais pas au vide. Comment traiter pareille désertion ? Comment moquer son assurance et surtout railler sa suffisance de Parisien ?

Humbert était bien de ces prétentiards qui aiment mieux leurs erreurs que les vérités parce qu'elles sont les leurs. Mais cette starlette de Saint-Germain n'était ni le poète Virgile ni une grosse cylindrée de la littérature contemporaine malgré le parfum de chic qui, au fil des saisons, commençait à s'attacher à son petit nom. Antoine avait bien raison. Ce diablotin d'une saison n'avait rien dans la cervelle, sauf le goût de l'esbroufe. Pour dissiper les rêves fleuris qu'il avait levés en elle il aurait fallu à Roses, en cet instant, un adversaire à boxer. D'évidence, ce pauvre Oskar manquait de cette sincérité profonde qu'on n'a, et ne peut avoir, que lorsqu'on vit beaucoup avec soi-même, comme Antoine.

Décontenancée, Roses songea en regardant autour d'elle : je suis idiote, une double idiote bourrée de puérilités, une triple idiote trop attirée par la lumière ! Comment ai-je pu à ce point me faire avoir par cet écriveur ? Et me soumettre à son désir au prix du sacrifice de ma famille, et de la tranquillité de ma fille. Et de mon chien ! Je ne dois plus me laisser emporter par mon tempérament délirant mais le diriger dorénavant, écraser ma libido et demeurer dans mes devoirs de jeune mère. Et sortir une fois pour toutes de l'indécision ! Oh, comme j'aime mon Antoine et ses sévérités. Ne me sauvent-elles pas de moi-même ? D'ailleurs je l'aime pour cela, je n'ai jamais aimé qu'Antoine en vérité. Qu'il fasse partie des déserteurs de la vie, des fuyards avérés devant eux-mêmes, ne me déplaît pas, bien au contraire. Je suis folle des interdits qu'il m'assène, et j'apprécie – quoi que j'en dise – qu'il me séquestre un peu chez nous. J'aime les petites cages verrouillées. Elles me contiennent. Oskar et moi, nous ne nous sommes pas aimés au nom de l'amour mais du narcissisme délirant. Et puis, dès que j'ouvre la bouche, ce teckel acquiesce sottement. Quoi que je dise ou veuille dans mes accès de liberté ! Tout ce qui en moi est tordu lui agrée, l'enchante même.

Roses noya son désappointement dans un Niagara de pensées fermes. Son éternelle morale : le demi-tour. Alors, se retournant vers les quais agités de la gare Montparnasse, elle aperçut sa beauté en haut des marches. Elle songea : voilà l'homme qui me jette dans une passion supérieure. Je veux bien y croire ! Car en vérité je ne supporte plus qu'Antoine me touche... y songer seulement me dégoûte. Pire, me révolte.

Oskar Humbert se trouvait là, debout, le regard assuré, souriant malgré lui, hésitant entre le dépit de n'être pas irrésistible et sa joie de l'être malgré tout. Par elle, ou plutôt grâce à Roses.

Il pensa : je ne me sens bulle de champagne que dans les yeux en étoiles de cette Roses entêtante. Sa façon carnassière d'être douce me chamboule, me rend à ma joie.

Oskar la contemplait avec passion.

En bas des escaliers, Roses demeura pétrifiée par sa grâce et son innocence. Elle l'aimait, tout en le détestant, et avait envie qu'il désorganisât sa chevelure en y plongeant ses doigts jusqu'à ce qu'il y assassinât sa conscience. Chacun de ses sourires disait : je suis heureux d'être né pour vivre de tels instants.

Roses songea : ce type vit en aficionado de la joie de vivre, son meilleur rôle c'est d'être lui-même. Je peux le hisser en haut de l'affiche de sa propre existence. Seul, il se perdra en se jetant dans trop de pâmoisons imbéciles. Il ne saura pas concentrer sa puissance. Son octave est le grand amour. Je vais lui permettre de chanter cette chanson-là, lui offrir tous les spasmes dont il a besoin pour être enfin fidèle. Je le veux à moi, rien qu'à moi même si je glisse dans nos draps d'autres corps pour mieux le garder, même si j'aime mon Antoine, même si la respectable Anne... que j'apprendrai à respecter pour tout le bien qu'elle lui fait. Mon singulier – Roses avec un s – est le pluriel qui peut le combler, et le protéger des femmes sangsues.

Oskar descendit les escaliers.

Il l'incendia d'un regard.

D'une voix presque innocente, elle lui déclara sur le ton de l'évidence :

— Allons dans cette suite Bovary.

— Tout de suite ou dans cinq minutes ?

— Pour ne pas...

— ... faire l'amour.

— Surtout pas, souffla-t-elle en fronçant les sourcils.

— Oui, surtout pas ce serait affreux, répéta Oskar.

— Il ne le faut pas.

— Que quelqu'un nous vienne en aide !

— Même si vous êtes insupportablement attirant !

— Je vous promets de vous résister, Roses… de ne pas trop vous désirer.

— Même si… fit-elle avec une moue. Vous tiendrez, vous le pensez vraiment ?

— Quoi que vous fassiez.

— Promis ? supplia-t-elle.

— Oui.

— C'est idiot, je sais, mais notre vouvoiement… cette distance maintenue me met en confiance.

— J'aime ce jeu.

— Moi j'aime deviner votre queue déjà dure mais savoir que vous resterez sage. Vraiment sage.

— *Queue*… Ce mot…

— Je ne suis pas de ces ennuyeuses qui attendent d'être désirées pour désirer crûment. Oui, il m'arrive de…

— Quoi ?

— … songer à votre queue, Oskar. Mais je sais que je peux compter sur vous et sur vos nerfs.

Ces mots terminèrent de jeter Oskar dans une transe de désir et de donner à Roses l'ascendant qu'ont les femmes qui plongent dans les fantasmes masculins.

Pour bien s'assurer qu'elle ne rêvait pas, Roses saisit son smartphone et prit une photo de leur couple tout neuf, si peu établi mais déjà bien articulé et comme établi au sommet d'une pyramide de naïvetés et d'hypocrisies qui convenaient aux deux car elles leur permettaient d'être vrais. Effaré par l'intensité de la situation, Humbert fit de même avec son téléphone. Clic. Évoluait-il dans un acte de sa prochaine pièce de théâtre ou se trouvait-il bien à la gare Montparnasse ?

En tout cas, ils ne vivaient que pour l'amour ; la seule chose décente à vivre.

SCÈNE 35
(chambre d'hôtel quatre étoiles dédiée
au culte de Madame Bovary,
surchargée de bibelots que l'on dirait
tirés du roman. Atmosphère irréelle
de film d'époque)

Roses reposait à présent nue, sublime, allongée sur un lit d'un boutique-hôtel parisien dédié au cinéma, sous l'affiche du « Madame

Bovary » tourné par C. Chabrol. Cascade d'une crinière lissée en désordre qui l'habillait. Roses ne semblait plus vivre que par ses sens. Elle avait fait monter deux bouteilles de succulent bordeaux, afin que toutes les addictions fussent convoquées, et une assiette de framboises. Son effeuillage devant le miroir de la chambre ne fut pas la moindre des tortures pour Oskar. Dans le reflet de la glace, Roses vérifiait qu'elle ne rêvait pas. À les voir ensemble, si proches et reliés, elle dépassait les fantasmes qu'elle s'était imaginés en regardant les vidéos d'Oskar sur YouTube.

Étourdie de vin, elle lâcha :

— Je réalise à peine ce que je viens de faire…

— Je me sens dans un film, moi aussi.

— Une pièce où tout brûle à votre contact.

— Écrit par deux auteurs… alors que nous avons toujours été seuls dans nos rêveries.

— Vous souvenez-vous de votre engagement ? lui rappela Roses sur le ton de la supplique. Si vous cédiez, ce serait calamiteux.

— Promis.

— Et la preuve de votre faiblesse.

— Je suis bien d'accord.

— Je compte sur vous !

— Promis…

— Il faut que je puisse vraiment compter sur vous, Oskar…

— OK.

— J'adore vous embêter... lui susurra Roses.

— Je pense que nous pouvons aller très très loin dans cette retenue délicieuse, vous « m'embêtant » jusqu'au délire... Et moi freinant toujours.

— Me laisseriez-vous donc vous tourner autour, m'éloigner de quelques mètres, revenir vous embrasser puis m'allonger sur le lit, me relever, ôter enfin ma robe et me glisser sous la couette, avant de revenir vous enlacer. Comment faire tout cela, Oskar, si vous ne vous retenez pas de me sauter dessus ?

— Donc je ne serai pas à vous, Roses...

— Pourtant j'en ai...

— Restons proches pour être loin.

— On parie ?

— J'accepte le défi.

— J'ai envie de vous faire tellement de choses ! Que je ne vous ferai pas.

Dans le clair-obscur de la chambre, rideaux tirés, Oskar disposa quelques framboises sur les épaules de Roses, puis sur sa chute de rein, ses fesses nacrées et enfin sur ses jambes.

Elle songea : au lieu de me croquer, il me déguste. En me résistant, cet homme me donne l'occasion d'être femme, d'affirmer ma puissance. Roses était parfaitement bien avec lui, vraiment naturelle, il lui donnait envie d'être heureuse ; et cela lui faisait un peu peur.

Les fruits étaient saturés de jus frais, prêts à éclater sous la dent. Ébahi par la beauté de Roses mais toujours dans la retenue, Oskar se sentait comme un personnage de l'une de ses comédies. Il finit de dresser la table sur le satin de sa carnation, avec des gestes suggestifs afin de porter la jeune femme à l'effervescence. Il nappa enfin le corps de Roses de lignes de miel. Puis Oskar déposa un peu de chantilly, là où son corps aux aguets aimait tant être léché. Déjeuner sucré.

Roses ferma les yeux, s'abandonna. Elle vibrait de toute son âme. Oskar résisterait-il longtemps à un tel repas ? Était-il homme de parole ? Se créer toujours plus d'interdits à transgresser les allumait davantage.

Oskar entreprit alors de croquer chaque fruit sans perdre la moindre goutte de jus qui coulait, ou plutôt perlait, sur la peau de Roses. À petits coups de langue bien ajustés, il évita ainsi le bain de sang fruité sur les draps de l'hôtel.

Puis Oskar fit, avec d'infinies délicatesses, exploser les framboises près du lobe de ses oreilles, telles des petites bulles rouges que brisait sa jolie bouche, bulles douces et un peu piquantes quand elles arrivaient à l'arrière de la langue. Le supplice à la fois parfumé et sonore dura très longtemps tant il y avait de fruits à croquer, de jus à laper et de chantilly à ne pas laisser perdre.

Un festin de lents plaisirs.

Une orgie de retenue.

Enfin arriva le moment où Roses, devenue une immense confusion, cessa de se montrer disciplinée. Portée par l'alcool, elle se retourna en conservant les yeux clos afin qu'il pût la contempler – et pour ne pas le foudroyer. Constatant que la jeune femme était une anguille, et peu capable en cet instant de se contrôler, Oskar ôta sa ceinture et lui attacha rapidement les mains aux barreaux de la tête de lit. Le souffle de Roses se fit alors plus tendu, plus court. En la contrôlant, il la libérait.

— Les mêmes… Nous sommes les mêmes… murmura-t-elle affolée.

Oskar resta figé. C'était vrai.

Aucune rébellion n'était désormais possible. Oskar lui banda doucement les yeux avec le collant noir, un peu déchiré, qu'elle avait ôté. En lui retirant la vue, il la rendait à ses visions, à la puissance de son cinéma intérieur. Dans l'obscurité, Roses sentit bien qu'il recommençait à dresser la table sur son corps, s'appliquant à disposer en corolle des fruits autour de ses mamelons, ou des traînées de chantilly ou encore des filets de miel sur toutes les parties de sa peau qu'il avait l'intention de supplicier à coups (très légers) de langue.

Tandis qu'il la torturait, Roses, d'une voix douce et mutine (donc évocatrice), commença à lui suggérer que sa bouche était tantôt la sienne tantôt celle d'une autre jolie femme, très diligente, appliquée et attentionnée. Évocation qui jeta Oskar dans un certain trouble auquel il se livra bien que ce registre ne fît, au départ, pas partie de ses gourmandises personnelles. Quelle fougue ! Elle les fit ainsi entrer dans un scénario imaginaire qui augmenta encore leur émotion. Sans qu'Oskar l'eût réclamé, et c'était cela qui l'envoûta, Roses les entraînait dans un monde de fantasmes inédits alors que tant de couples s'aiment sans écart. Ces malheureux s'accouplent sans se recréer ensemble. Certaines femmes sont des voyages, d'autres des destinations. Allant de surprise en surprise, Roses était de ces magiciennes qui entraînent leur amant vers l'inconnu d'un roman érotique écrit en brisant les dernières écluses de la pudeur pour s'offrir tout à fait.

Jamais Oskar n'avait même imaginé qu'il rencontrerait un jour une auteure de son calibre, capable d'imaginer à jet continu des images ensorcelantes. La parole libre de Roses déverrouillait celle d'Oskar. Basta le frein à main du surmoi, la crétinerie du jugement social qui porte l'odieux sur le meilleur de la vie. Le taux de joie bondit d'un coup entre eux. Fiesta verbale ! Sarabande de mots verts ! Roses assassinait ce qui restait en lui de conscience.

Par ce jeu de ping-pong excitant, acharnés à se délivrer l'un l'autre, ils imaginèrent de concert des scènes étourdissantes, en y mettant cette pointe de délire sans laquelle l'étonnement des amants manque à la partie. Sans qu'Oskar l'eût même touchée de ses mains, en ne l'effleurant que du bout des lèvres et de sa langue légère, Roses comblait son imagination autant que ses sens. On ne fait bien l'amour qu'avec les oreilles.

À la dernière framboise, Oskar se rendit donc.

Roses lui donna sa bouche. C'était un fruit merveilleux qui se déchirait délicatement et qui dévoré renaissait plus abondant et plus succulent. Elle voulait faire tant de bien à Oskar.

Avec fureur, il se donna.

Que voulez-vous, les hommes ne sont pas fiables.

Et l'amour vrai est une noyade.

Mais Oskar n'eut d'abord pas droit à toutes les lèvres de Roses.

Elle l'accueillit enfin, sur l'accoudoir d'un fauteuil.

Festin d'audace, de poésie.

Les yeux obstinément bandés.

Elle murmura :

— Ton bonheur me fait tellement plaisir…

D'une main, Roses attrapa son smartphone et les prit en photo, à l'aveugle. Afin qu'il fût bien clair qu'ils n'étaient plus désormais qu'un seul cœur, une seule démence, un seul esprit.

Roses lui avoua alors, d'une voix blanche et tremblante :

— Quand Antoine me touche... ça me donne une sensation de...

— De quoi ?

— D'effraction.

— Vous savez qu'aucune femme, même en couple, ne doit rien.

— Il ne s'en rend pas compte.

— Pardon ?

— Pour lui, je suis à lui. S'il le savait, ça l'humilierait.

— C'est fini... murmura Humbert en la serrant contre lui. Fini tout ça.

Et Oskar ajouta dans un vertige :

— Je vais quitter Anne.

— Je ne vous demande rien, rien, rien.

— Je vais quitter Anne car l'amour nous a quittés, répéta-t-il les pupilles dilatées.

— Je ne veux PAS être responsable de ça... Vous m'entendez ? martela Roses.

— C'est ma décision... Je vais faire les choses doucement. Avec correction.

Hypnotisé, Oskar sut alors qu'il serait heureux sur cette terre car il venait de trouver un amour majeur, celui qui entraîne vers l'incertain le plus savoureux. Plus jamais il ne se contenterait de la petite part de l'amour physique, ce plaisir étriqué que tolère le tout-venant des peu jouissants. La passion sexuelle est divine folie qui fertilise l'âme et pollinise l'imagination. L'amour entre un homme et une femme n'est plus alors ni mensonge, ni songe – mais de la réalité.

SCÈNE 35 bis
(jour et nuit, méli-mélo de lieux parisiens féeriques entrecoupé de retours dans leur chambre d'hôtel)

Le jour même, incapables de se quitter, Roses et Oskar mentirent à leurs conjoints respectifs et s'aimèrent à tort et à travers.

Puis ils supprimèrent la nuit, dînèrent d'abord à deux heures du matin puis de nouveau à cinq heures sur les Champs-Élysées. Cascade de fruits de mer, vrac de pâtes avalées avec voracité chez *Pizza Pino*, un italien ordinaire qui leur parut merveilleux. Incrédules devant leur bonheur, ils avaient faim de tout. Surtout de se prendre sans fin. Carnaval de caresses, fête culinaire et nocturne. Ils surent ce que veut dire «passer une nuit d'amour». Leur érotisme était sans défectuosité. Ils étaient ivres de paroles, d'aveux et de

baisers, dans cette grande paix exténuée que
donne l'excès.

Grâce à leurs étreintes, plus rien de l'autre
ne leur était étranger.

Pour Roses, l'amour était de donner à un
homme tout le plaisir du monde. Seul comptait dans son cœur d'offrir cette plénitude
encouragée par un vocabulaire explicite, et
sans que sa langue négligeât un centimètre
carré de la peau de l'autre.

Que leur arrivait-il donc ?

Tous deux étaient consumés par un désir
physique si fort qu'ils n'osaient pas le nom-
mer amour. Mais le mot flottait entre eux, les
unissait déjà et les embellissait de joie. Être
amoureux dans le cœur de Paris, c'est être
amoureux deux fois.

SCÈNE 36
(répétition sur la scène du théâtre d'Oskar,
tous les acteurs sont réunis.
Lumière de service)

Le lendemain matin, fringant, Oskar était
de retour au théâtre. Il répétait avec préci-
sion sa pièce sans titre, ajustant chaque scène
pour qu'elle coïncide avec ce qu'il vivait par
et pour Roses.

— Je vais quitter Nathalie, lâchait Hector.

— Je ne vous demande rien, rien, rien, répliquait Ninon Folenfant.

— Je vais quitter Nathalie car l'amour nous a quittés, répéta le comédien avec fièvre.

— Je ne veux PAS être responsable de ça... Vous m'entendez ?

— C'est ma décision... Je vais faire les choses doucement.

Hector jouait Oskar et Ninon campait une Rosalie insolente, perchée sur dix centimètres de talons, faussement badine, qui se coulait très exactement dans la peau de Mlle Violente. Ses yeux de faucon et son ardeur qui flambait à chaque dialogue contrastaient avec sa physionomie lisse. Son phrasé tendu était l'écho curieusement exact de celui de la femme qu'il vénérait. Séductrice, Ninon sentait d'instinct ce qui excitait le personnage d'Hector et lui offrait des facettes de sa personnalité susceptibles de le réjouir. Sur les planches, Rosalie était la femme extrême, première et toujours oscillante, aussi comblante que blessante.

Bérénice, l'assistante d'Oskar, se trouvait postée derrière lui.

Interloquée, cette dernière remarqua discrètement que, dans l'obscurité de la salle vide, Oskar expédiait en rafales des SMS à une certaine Roses ; à la cadence effrénée de deux ou trois par minute ; comme si l'écrivain enflammé menait une vie parallèle aussi prenante et poignante que celle qui se déroulait dans ce théâtre. Éberluée, Bérénice put remarquer en jetant un œil par-dessus l'épaule d'Oskar que le dramaturge faisait maintenant croire à cette mystérieuse Roses qu'il venait d'être renversé par un autobus !

Dans un état second, Humbert envoyait force messages de souffrance :

— J'ai affreusement mal à la hanche. Le bus m'a touché.

— Va voir un médecin, je t'en supplie, lui répondait l'inconnue.

— J'arrive aux urgences de l'hôpital Cochin. Cohue de blessés. Une femme déboussolée hurle mille morts. Ils me font attendre. Douleur horrible.

— Demande un calmant.

— Personne ne m'écoute. Désespoir.

Oskar Humbert était tranquillement assis sur une banquette de théâtre. Son style haché était abrupt, et de plus en plus emphatique. Les scènes d'examens médicaux qu'il décrivit avec un luxe de détails inouï, chipotant sur les compétences du corps médical et extrapolant ses douleurs, laissèrent Bérénice muette. Il piochait du théâtral dans tout. De Rostand il avait la fanfaronnade, de d'Artagnan la flamboyance, de Musset le caressant. Le tout dans un gros débit, aimant le tapage.

Humbert suscitait à distance l'émotion de Roses, la mobilisait, aboyait en pianotant sur son smartphone, rugissait de douleur. Il continuait à écrire du théâtre. Tout était rigoureusement inexact, tout était vrai : sa joie de captiver Roses était authentique. Il ne s'agissait pas d'assignats mais bien de vraie monnaie, celle du cœur.

Immobile derrière lui, Bérénice s'interrogea : cas de mythomanie avancée ? ou de schizophrénie aiguë ? Signe de sa puissance de création (Humbert était tout de même en train d'ajuster une pièce de théâtre en cours de création et de répétition) ? Le frénétique Oskar pouvait-il se contenter de ne mener qu'une seule existence à la fois ? Avait-il à ce point besoin de se soigner de son dégoût du quotidien ? Était-il réellement plusieurs ?

De son côté, Roses semblait être sortie de son cours de français. Laissant un instant sa classe de sixième en plan, elle téléphona aux urgences de l'hôpital Cochin, tempêtant pour qu'on lui passât sans délai l'écrivain Oskar Humbert.

— Madame, nous n'avons personne enregistré sous ce nom-là dans nos registres, répondit la standardiste exaspérée.

— Je sais qu'il est là ! hurla Roses.

Folle de ne pas obtenir davantage de nouvelles fraîches, Roses envoya à Oskar un SMS comminatoire : « Au standard, ils me font croire que tu n'es pas hospitalisé. Sans doute pour te protéger. L'infirmière a dû te reconnaître. T'en supplie, donne-moi vite des infos ! »

Avec un plaisir d'enfant, Oskar exultait de procurer à Roses sa grosse ration de sensations, de satisfaire son glouton besoin d'émotions, tout en fignolant calmement sa pièce de théâtre. Il mettait autant d'entrain dans les répétitions de sa pièce que dans celle qui s'improvisait en direct sur son smartphone. Oskar n'hésitait pas à citer des médecins imaginaires et des infirmières fictives. Son assistante le regardait de travers avec inquiétude et sidération, tout en surveillant l'épopée par SMS qu'il faisait subir à cette Roses survoltée. De Nantes, elle semblait agiter tout l'hôpital Cochin à Paris. Pendant ce temps-là, sur la scène, Ninon Folenfant souffrait, pleurait, riait parfois, à l'unisson de la Roses réelle qui rédigeait ce flot de SMS. Une pièce dans la pièce. Rosalie rejoignait Roses dans une curieuse simultanéité qui laissa Bérénice bouche bée.

Qui était donc Oskar Humbert ?

De quelle étrange folie était-il habité ? se demanda l'assistante. Était-il « guitrique » – aussi hors réalité que le grand Sacha Guitry – au point de ne plus loger, lui non plus, dans les replis du monde réel ?

Et cette Roses mystérieuse, était-elle

réellement sortie de sa salle de classe ou fabulait-elle pour plaire à Humbert en entrant dans sa danse ? Ces deux-là étaient-ils rongés par la même dinguerie tempétueuse ? Égaux dans le dérèglement ?

Pour la première fois, Oskar lui-même se questionna avec quelque sérieux : suis-je aussi fêlé qu'elle sous mes dehors de fantaisie légère ? Me morcelle-t-elle à mon tour ? Ah, Dieu que j'aime ça !

SCÈNE 37
(échange de SMS entre Oskar et Roses,
puis agence immobilière nantaise)

Sept jours plus tard, Oskar et Roses décidèrent de louer un appartement à Nantes. Clandestinement. Lui n'avait toujours pas quitté Anne et elle n'avait pas soufflé mot à Antoine. Nos deux aimables monstres évoluaient dans un film suroxygéné où tout était délicieusement possible tandis qu'Anne et Antoine appartenaient encore au monde du raisonnable. Toute accélération de cadence semblait un rythme juste aux yeux de nos amants. Les ellipses ne leur faisaient pas peur. L'invraisemblable de la vie les sécurisait.

Il fallait bien un nid accueillant pour Roses

et sa petite Clémence de un an à peine. Elle et Oskar y seraient enfin eux-mêmes. Ensemble, ils nourrissaient l'envie d'une existence plus large, copieusement sexuelle et éloignée des sentiers éthérés de l'amour sage. Il ne s'agissait plus de négliger les chemins de la sensualité affranchie, celle qui unifie l'être. Roses et lui savaient que le sexe romancé, raconté sans pudeur pendant l'acte afin d'embraser l'imagination est la meilleure chose du monde. Érotisme de parleurs. Oskar était fasciné par la confiance de Roses dans la vie libre, bien qu'il la devinât rongée de culpabilité.

— Je ne peux pas payer ce loyer, lui avait-elle avoué par SMS.

— Je suis là ne t'inquiète pas, avait aussitôt répondu Oskar, plus épris que jamais, en lui expédiant par mail la copie intégrale de sa déclaration de revenus et la copie de son passeport.

Oskar se porta entièrement garant de la location.

Pas une seconde il ne songea à se conduire avec Roses comme avec une inconnue ; alors qu'il ignorait presque tout de sa vie réelle. D'emblée, il l'avait reconnue comme un membre de sa famille.

— Vous croyez qu'on peut faire ça ? lui avait-elle demandé.

— On n'a jamais que la liberté qu'on se

donne ! s'était alors exclamé Oskar sans s'apercevoir que cette réplique était tirée de l'une de ses comédies.

En sortant de l'agence immobilière, mi-excitée mi-effrayée par cette accélération de leur histoire, Roses avait soufflé à Oskar, avec du rouge aux joues :

— J'ai l'impression de respirer dans une de vos pièces.

— Il fallait bien un toit pour Clémence, non ?

— De quoi parle votre pièce en cours d'écriture ?

— Vous verrez...

Afin de s'assurer qu'elle ne rêvait toujours pas, Roses avait, comme de coutume, sorti son smartphone. Elle réalisa un selfie de leur couple si joliment assorti ; cette sorte de photo de soi-même ou d'une poignée d'individus qui flatte l'amour-propre.

Oskar continua à marcher dans la rue et dit :

— L'appartement vous plaît vraiment ?

— Enchanteur. J'avais tellement peur, en partant, de me retrouver dans une HLM comme celle de mon enfance. C'était tellement affreux quand mes parents ont dû quitter la grande maison que nous avions à La Baule... d'un coup.

— C'est fini. Tout commence...

— Ce n'est pas le titre de ta pièce ?

— Provisoire...

*(appartement en rez-de-chaussée
dans une bâtisse nantaise du XVIIIᵉ siècle,
petite cour arborée délicieuse)*

Une demi-heure plus tard, encore subjugués par leur audace, Oskar et Roses se rendaient en voiture à l'adresse du logement qu'elle avait déniché près de la crèche de sa fille. Elle conduisait sans lunettes pour rester irrésistible, au péril de leur vie ; ce détail enchanta Oskar.

Un immeuble en pierre ocre apparut devant eux, de la maçonnerie d'esprit nantais et du plus haut charme.

Comme dans un songe, ils traversèrent ensemble un long couloir qui longeait une courette cerclée de fenêtres hautes autour de laquelle couraient des escaliers anciens, usés au fil des habitants.

Ils entrèrent dans un deux-pièces situé en rez-de-chaussée qui ouvrait sur une cour privée, remparée de pierres volumineuses un peu moussues. L'ensemble formait une falaise minérale.

Dans un envol de robe cintrée qui l'allurait, Roses allait et venait en propriétaire, vibrante de santé. Au milieu de la chambre était posé un fauteuil de metteur en scène, oublié par le locataire précédent ; comme un signe que la fiction aurait toujours droit de cité en ces lieux, que la vie y serait toujours théâtralisée.

— Clémence pourra jouer là... s'écria-t-elle, émerveillée par le charme et le calme des lieux.

— Il lui faudrait un parc ici et une petite balançoire, non ? Avec un tapis de jeux... et des transats. Et aussi une table d'extérieur et des chaises... ajouta Oskar.

D'emblée il aimait l'enfant de la femme qu'il aimait ; et il sentit à cela que son amour était entier.

Elle poursuivit :

— On fera fermer cet espace entre les deux pièces, pour que l'on soit tranquilles, non ?

— Clémence dormira mieux... On mettra son lit à barreaux ici.

— Tout est si étrange...

— Pourquoi ?

— Nous sommes amants et nous parlons lit à barreaux.

Elle sourit. Roses assumait le fait d'être plurielle, à la fois maman et follement amante, un archipel de femmes.

— J'ai envie de quotidien avec vous, murmura-t-elle. De petits déjeuners, de vous faire la cuisine, de nous acheter deux mugs identiques... et qu'on danse ensemble, Clémence, vous et moi, à tue-tête, sur la chanson de *La Reine des neiges*.

— Vous faites ça ?

— Souvent !

— On chantera tous… comme des fous !

Deux heures plus tard, Mlle Violente avait commandé sur Internet un très vaste lit – sommier, structure métallique afin qu'Oskar pût l'attacher, matelas accueillant –, deux mugs jumeaux, un frigo argenté qui lui plaisait, un four à micro-ondes pour chauffer les biberons de Clémence, une table basse d'inspiration indienne, quelques jouets sexuels dernier cri, une volée d'ustensiles de cuisine, un lot de serviettes de bain moelleuses, un bureau à monter soi-même et mille autres objets nécessaires à la vie quotidienne ; sans oublier le lit à barreaux et tout le matériel requis – table à langer, poussette, Babyrelax, etc. – pour que la petite Clémence puisse s'épanouir en ces lieux de charme et de beauté, si éloignés de la HLM de l'enfance de Roses.

Heureuse, répudiant sa culpabilité, elle hasarda un mot :

— Le matériel bébé pourra toujours resservir…

Oskar en eut le souffle coupé.

Roses murmura :

— J'ai envie d'être votre dernière femme. Et besoin de vous protéger, Oskar…

— Vous sentez-vous coupable, ma chérie ?

— Non, avoua-t-elle.

214

— Moi non plus.

— J'adore quand vous dites « ma chérie ».

— Sommes-nous des monstres ?

— De nous accorder le droit d'être heureux ?

— Mieux, de nous re-créer.

— J'ai envie de toi.

— Tout de suite ?

— Oui.

Roses étancha sa soif inopinée, le but plusieurs fois ; au grand étonnement d'Oskar qui ignorait ce que la passion pouvait réveiller dans un corps assoupi dès lors que la sève remonte.

Elle se déshabilla avec naturel et, découvrant le vertige de s'abaisser, murmura avec stupeur :

— Envie d'être votre chienne, à vous. Ta petite pute, à toi Oskar.

— Ma chérie...

— J'adore quand tu dis « ma chérie ».

Roses et Oskar s'aimèrent longtemps en équilibre sur le fauteuil de metteur en scène. La pénurie de meubles les rendit très inventifs.

Les livraisons commenceraient d'ici quelques jours, égrenées sur deux semaines. Tout était confirmé et réglé rubis sur l'ongle grâce à l'argent d'Oskar.

Leur folie rejoignait l'Amour.

Acheter de quoi équiper cet appartement leur avait semblé irréel mais si facile. Le fait de cliquer sur des photos sans palper les objets, de régler en tapant de simples numéros de carte de crédit et non en alignant des billets de banque permettait cela. L'illusion d'une vie matérielle. Roses et Oskar se projetaient avec délice dans la virtualité de l'autre.

Pendant que Roses, nue sur le parquet, terminait les commandes sur son smartphone et confirmait les dates de livraison – sa dextérité dans le maniement d'un écran tactile était stupéfiante –, Oskar enregistra sur l'application SNCF de son propre smartphone les noms et dates de naissance de Roses et de la petite Clémence.

Une nouvelle vie semblait s'ouvrir pour eux trois entre Paris et Nantes.

— Il faut que je vous avoue quelque chose… lâcha alors Roses sur un ton de confidence. Un secret… que j'ai tenté d'effacer. De nier.

— Quoi ?

Sa bouche forma une moue de dégoût, ne laissant qu'un tout petit trou sur la commissure droite par où coula son affreuse confidence :

— Une fois, Antoine a voulu me faire interner. Il était jaloux d'un collègue.

Elle avait dit cela avec légèreté, contredisant la gravité du fait avoué. L'énormité de l'aveu sonnait comme un coup de tonnerre dans la douceur de leur journée.

— Interner ? répéta Oskar sans être certain d'avoir compris.

— Enfermer.

— Enfermer ? reprit-il, à nouveau stupéfait.

— À l'asile. Il est fou de jalousie, expliqua-t-elle en se rhabillant.

— À ce point ?

— Quand je lui échappe, Antoine perd la tête. Mais ce n'est pas bien grave... Je crois que l'idée était venue de ma mère. Sous ses dehors de mère courage parfaite, elle peut être... glaçante. Elle avait influencé Antoine, si gentil, et mon père.

— Si gentil ?

— Il s'en est tellement voulu, après.

Roses lui raconta l'épisode qui glaçait encore ses lèvres, avec une voix qui continuait d'adoucir les faits. Il lui fallait dire les choses non pour s'en horrifier, ce qui eût été bien légitime, mais pour les excuser en les rendant presque anodines. Le procédé, pour bizarre qu'il fût, la rendait irrésistible. Les fêlures immenses sont des charmes invincibles.

Quelques mois auparavant, Antoine et ses parents avaient effectivement tenté de la faire admettre dans un hôpital nantais. Ils avaient un peu violenté Roses, mais cette dernière ne s'était pas autorisée à porter plainte. Pourtant, l'établissement qu'ils avaient envisagé – pour un internement d'une durée indéterminée, jusqu'à ce qu'elle se soumît enfin aux volontés d'Antoine – était effrayant, tant par sa faune que

217

par ses règlements inflexibles. Roses avait lutté pour ne surtout pas être séparée de sa petite fille. Mais les siens s'étaient ligués contre elle. Ils l'avaient astreinte à des interrogatoires âpres et humiliants pour qu'elle avouât ses désirs « malsains » de liberté et y renonçât à jamais. Si elle refusait, ils l'avaient menacée de lancer mille procédures pour l'éloigner de Clémence en la faisant interner. Épouvantée de voir que ceux dont elle attendait confiance et protection la trahissaient ainsi, Roses avait obtempéré et promis de mener une vie « saine » et réglée. Vaincue, elle avait même accepté de se gaver de neuroleptiques pour les rassurer et conserver sa famille.

— Tout ça n'était pas très gentil, conclut-elle. Mais le père de ma fille est un homme adorable.

— Adorable...

— Un cœur, si vous saviez, Oskar. C'est ma mère qui a tout manigancé. Antoine s'est excusé ensuite et il s'en veut tellement... Il est si gentil...

Bouleversé, se sentant requis pour sauver cette femme merveilleuse d'une famille pareille, Oskar lui murmura :

— C'est fini tout ça, Roses... terminé. Je suis là, pour toujours. Notre lit sera livré quand ?

— Samedi.

— Le reste arrivera vite.

— Les sex-toys arriveront aussi samedi…

— Nous allons nous faire une jolie maison. Un bel endroit pour obtenir la garde de Clémence. Je vais trouver un avocat.

— C'est moi qui vous protégerai, Oskar… de tout. Oui, de tout, répéta-t-elle. Je m'inquiète pour vous à chaque instant.

— Pourquoi se vouvoie-t-on ?

— La distance rapproche, mon amour… Je vais tout prendre en main, vos rendez-vous, vos bilans de santé. Je suis sûre que vous ne faites pas attention à vous.

— Personne n'a jamais veillé sur moi.

— Je vais vous faire une vie très très douce…

Ni l'un ni l'autre ne voyaient que l'embourgeoisement des anarchies est une impasse – surtout pour deux libertés lancées au galop. Les tapageurs sont faits pour les orgies de désordre.

SCÈNE 39
(aéroport d'Heathrow, cohue polyglotte)

Le lendemain, Roses et Oskar filèrent à Londres, là où le culot faisait encore carrière. Les rives de la Tamise hébergeaient alors tant de rêveries réalisées, celles de la Seine tant de renoncements. Paris était encore, cette année-là, un Londres manqué.

Par contrat tacite, ils avaient décidé d'avoir à jamais vingt-cinq ans, l'âge de l'irrespect ; ce qui est sage. Tous deux désiraient rejoindre le décor et l'atmosphère des comédies romantiques qui parlaient à leur cœur. Parce que l'imaginaire a des droits et que s'absenter du réel reste une jolie façon d'aimer l'amour. Ces deux insupportables étaient les plus purs enfants de leur fantaisie.

Peu après avoir rejoint Roses à Heathrow, Oskar remarqua que son visage s'était assombri : il lui trouva moins d'éclat que d'habitude, sa sensualité était comme effacée, moins florissante ; mais sa grâce n'en était que plus émouvante.

— Je suis malheureuse... souffla Roses.

— De quoi ?

— Que ça puisse s'arrêter. Je n'ai pas envie de rejoindre la vie.

— Moi non plus.

— Mais j'aime mieux être malheureuse en vous aimant que de ne vous avoir jamais connu... J'ai soif.

— Il y a un bar, là.

— Non, vraiment soif... dit-elle avec enthousiasme.

Les filles calmes déshonorent le mot *amante*.

(Londres, quartier victorien de Paddington,
maisons blanches à colonnades,
ville sans démunis)

À chaque pas frappé sur le pavé londonien, et même lorsqu'ils conversèrent avec un « homeless » dans le bus (Roses bavardait souvent avec les SDF), elle prenait des selfies de leur couple avec son smartphone.

La virée était un secret, caché à Antoine et Anne *of course*, pour augmenter le plaisir. Oser ensemble est une forme d'amour, tricher ensemble une volupté, s'amuser ensemble une grâce.

Après avoir posé leurs affaires dans l'appartement qu'ils avaient déniché sur le site Airbnb.fr, situé dans le si délicieux Lancaster Mews où jadis vivaient les cochers et leur attelage au cœur du quartier choyé de Paddington, ils résolurent de courir un risque.

À l'angle de Lancaster Gate et de Craven Terrace s'élevait un palais blanc, victorien d'allure mais abandonné d'aspect. Vitres brisées, fenêtres ébréchées, toiture à repriser. Au pub *The Mitre*, à l'entrée du Mews, une serveuse grassouillette et rose leur rapporta qu'il avait été acheté par un Chinois, macérant dans les milliards et récemment décédé.

Comme dans un film, Oskar décida d'aller faire un tour dans ce palais hanté au bras de Roses. En cambrioleurs. Son impulsivité en faisait un improvisateur-né. Excitée, elle applaudit et refit un selfie. Ils descendirent sans délai une bouteille d'excellent bordeaux.

Avant de prendre congé du réel, en experts.

SCÈNE 41
(palais victorien à l'abandon,
éclairé par les seuls lampadaires de la rue)

Tandis qu'ils s'introduisaient illégalement par une fenêtre brisée dans la pièce montée blanche endormie, Roses eut le sentiment de respirer dans une comédie sentimentalo-britannique. Tous deux étaient dans une disposition heureuse ; l'amour leur rendait la vie légère : il y a tant de songes aériens dans le premier enivrement d'une passion.

Mais dans le même temps, le duo se sentait coupable.

Nier les turbulences à venir les usait par en dessous. Dans ce Londres irréel, ils jouaient ensemble leur spectacle, avec la conscience que tout cela devrait bientôt prendre fin.

Toutefois pour le moment, Oskar se découvrait grâce à Roses le talent de l'abandon. Il n'avait plus aucun doute : Roses était bien une authentique membre de sa famille. Une impossible. Il ne ressentait cette proximité qu'avec les êtres pris de passion et, surtout, capables d'évoluer à temps plein dans les limbes de l'imaginaire.

En sécurité l'un avec l'autre et excités à l'idée d'être surpris par la police londonienne, ils passèrent de salle en salle, toutes encore meublées, patinées de cette grandeur britannique enjolivée de rêves indiens.

Leur couple aboutit enfin dans une chambre où trônait un lit à baldaquin surmonté d'une coupole de verre sans doute créée au Bengale à la fin du XIXᵉ siècle impérial. Rien de tout cela ne leur semblait réel ou même plausible ; mais tous deux savaient depuis longtemps que la réalité offre plus de miracles que le cinéma ne peut en inventer.

Heureuse, Roses se dévêtit, laissant jaillir ses seins volumineux et dévoilant sa croupe. Des miroirs immenses, tachetés, multipliaient sa beauté.

— Donne-moi de petites tapes... murmura-t-elle en se cambrant.

Roses explora alors les dédales de ses affinités avec l'humiliation. Curieuse d'elle-même, elle était résolue à essayer les régions excentrées de sa sensualité. Dans cette douleur modérée quelque chose stimulait son âme.

La suite n'eut pas de précédent dans la vie d'Oskar.

Roses lui montra ensuite sur son smartphone une scène filmée où deux femmes, très motivées, augmentaient le plaisir qu'elles se donnaient de celui qu'elles offraient ensemble à un homme. Avec Roses, aucune équivoque. Débraillée dans son éthique dès qu'il était question d'audace, aucun débris de morale n'embarrassait son désir.

— Je veux t'offrir ça… souffla-t-elle.

— Ce bond de côté ?

— Aucune ne t'aimera comme je t'aimerai…

— Tu aimes les femmes ?

— Non, fit-elle sur le ton de l'évidence.

— Alors ?

— L'inconnu m'aime… Ce qui m'est encore inconnu.

Roses précisa :

— Je voudrais bien connaître une fois la non-compétition entre femmes. En embrasser une qui serait dans cette idée et la faire jouir en sachant l'excitation que cela provoque chez toi. Même si je reste une vraie monogame.

— Vous pensez à qui ?

— Anne.

— Anne… ma femme ? s'étonna-t-il.

— Pourquoi pas ? sourit Roses. Justement parce que c'est impossible !

— Vous êtes folle... Ça se passerait comment ?

— Comme sur cette vidéo, non ? Elle allongée et moi entre ses jambes... Moi très douce...

— D'accord...

— Elle nous rejoindrait par cette porte.

— Et ensuite ?

Comme dans un songe d'été, Roses lui fit l'amour selon le scénario un peu délirant qu'elle improvisa en s'inspirant des images de son smartphone ; et ils tâchèrent d'imaginer ensemble que la troisième dans leur lit était bien la très sérieuse Anne, si éloignée de ces égarements. La création incessante d'idées érotiques éloignées du possible, cette fécondité d'initiatives et de surprises révélait chez Roses l'inspiration des poètes maudits. Celle qui tue.

Perdu, il songea :

— Un grand amour, n'est-ce pas un amour où tout est justement possible ?

Après que leur plaisir fut consommé, étonnée de ne pas avoir été inquiétée par la police et étendue sur le lit à baldaquin, Roses lui raconta comment l'été précédent, alors qu'elle se rendait rituellement en Grèce avec Antoine en voiture, ils avaient fait une halte dans un hôtel surchargé d'histoire à Trieste.

L'hôtelière, la pétulante Giovanella, lui était apparue dans tout l'épanouissement de sa quarantaine. Catholique de conviction parée d'une croix en or, mère de famille de quatre enfants, Giovanella semblait être tout sauf une lesbienne convaincue, même d'improvisation. Par défi, mais aussi pour mesurer l'étendue de son pouvoir sensuel, Roses s'était alors proposée de la séduire ; ou plutôt de désorienter ses certitudes et de dissoudre sa morale. Le jeu, mené dans un anglais approximatif, l'avait aspirée. Il lui fallait cette victoire pour compenser l'image si dégradée qu'elle avait alors d'elle-même. Roses se trouvait si laide ! Si même une mère de famille catholique succombait à ses charmes... À la réception, toutes deux avaient bu un peu trop. Roses s'était embrasée et lui avait posé des questions ambiguës et délicieusement allusives. Elles avaient ri aux éclats jusqu'à ce que soudain, Giovanella, frappée par la beauté innocente de Roses, lui murmure en anglais :

— Rejoignez-moi dans la chambre 13.

Enfin seules, elles s'étaient pris les mains, froides comme du métal, et les avaient réchauffées en se regardant longuement. Puis elles s'étaient embrassées avec une douceur féline, toutes deux portées par leur élan partagé fait d'étonnement et de joie. Fougueuse, Roses lui avait offert ses seins merveilleux, jaillissant de son soutien-gorge encore agrafé. Désemparée et empourprée, apercevant alors son trouble dans le miroir de la chambre, Giovanella s'était signée avec panique et avait disparu. Roses avait découvert combien un baiser féminin peut procurer des douceurs nouvelles. Elle se disait certaine de pouvoir donner beaucoup, beaucoup de plaisir à une femme. Rien ne l'intéressait davantage que de s'abandonner à la vivifiante aventure de connaître des rives nouvelles. Pas le moindre débat de conscience là encore.

En l'écoutant, Oskar vibrait de se découvrir une camarade de délivrance. Une alliée en folie. Mais l'écrivain jouissait moins de ce récit – les lesbiennes ne le fascinaient guère – que de sortir enfin de la tranchée de ses peurs.

Roses tapota sur son smartphone et, l'œil allumé par le récit de son séjour à Trieste, lui montra la photographie d'une jeune escort. Une appliquée de haut tarif. Réplique assez réussie de l'actrice Freida Pinto, mi-Indienne mi-Portugaise d'origine.

— Ce n'est pas Anne mais… pas mal non plus, non ?

— Oui, s'entendit répondre Oskar.

Roses composa aussitôt son numéro et, dans un anglais désinvolte, la convia à les rejoindre pour une dégustation immédiate dont, par avance, elle se sentit coupable, avec assez d'excitation pour que sa gêne en devienne exaltante. Pour ajouter le son à l'image, Roses fit jouer sur son smartphone la musique du long-métrage *Slumdog Millionaire*, dans lequel la véritable Freida Pinto répand son incroyable beauté.

Oskar flottait dans l'irréalité de la séquence qui s'écrivait malgré lui. Aucune femme ne lui avait jamais ouvert avec autant d'innocence les portes du monde élargi que de simples images peuvent faire surgir. Départ vers l'univers exagéré du fantasme qui commence quand on desserre le frein à main.

Roses agrandissait toujours le roman.

On frappa. Une Freida Pinto entra dans leur pièce, très souriante, disposée à tous les abandons facturés qui ne se disent pas.

SCÈNE 42
(scène du théâtre d'Oskar,
la répétition a repris.
Tous les acteurs sont sur le plateau)

Le lendemain à Paris, barbouillé de gaieté et encore ahuri, Humbert convint qu'il était périlleux de s'entrevoir. Mais la passion, en arrachant nos masques, n'est-elle pas destinée à cela ?

Il modifia à nouveau sa pièce afin de faire bel usage de son état et de son souvenir. Sans en avertir Roses afin que, le jour venu, elle puisse avoir la surprise de voir ce qu'elle avait inspiré. La légèreté le possédait. Jamais il ne s'était senti aussi entier. Tout ce qu'il croyait vivre, Humbert le transformait aussi sec en cabrioles de théâtre, en répliques pimpantes et en actes glorieux ou divertissants.

Oskar incorpora ainsi les émois nouveaux qu'il venait de traverser en reconstituant tout : le coup de théâtre de l'appartement clandestin à Nantes – qu'il logea à Bordeaux – ainsi que leur échappée onirique londonienne.

Tout cela ferait une comédie d'excellente récolte.

Une pièce désordonnée qui donnerait envie de vivre comme au théâtre.

Roses avait le don de se fondre complètement dans l'esprit des hommes qu'elle aimait, fût-ce en acceptant la brièveté des amours de vagabonde. Elle attisait leur feu, les rendait à leur liberté.

Tandis que Ninon Folenfant répétait sur la scène du théâtre les mots mêmes de Roses, au soupir près, procurant à Oskar l'enivrement de vivre double ration de bonheur, ce dernier ne pouvait s'empêcher de surveiller son smartphone.

Ce que son assistante, Bérénice, nota à nouveau.

Dix fois par minute il le scrutait, au point que la vie ne se résuma plus bientôt qu'au rectangle interactif de son appareil.

Dissimulée dans l'ombre de la salle de théâtre, Anne remarqua également qu'Oskar guettait son téléphone, avec un affût nerveux qu'elle ne lui connaissait pas. Pour la première fois, elle se mit à écouter vraiment ce que disait sans fard la pièce en répétition sous ses yeux. Le personnage de Nathalie – l'épouse de la pièce – la renseignait assez sur ce qu'Oskar pensait d'elle. La scène érotique à trois dans un Londres imaginaire qui se déployait sur les planches, mi-écrite mi-improvisée, ne manqua pas de l'interloquer. Il en émanait une douceur joyeuse et une telle fraîcheur !

C'était la première fois qu'une pièce de son mari évoquait avec franchise pareille situation. À quoi rêvait-il donc ? se demandat-elle. Qui était exactement son époux ? De quels songes confus – ou libres – était-il soudainement habité ? Une autre, plus audacieuse qu'elle, avait-elle capté l'un de ses visages qu'elle aurait, elle, négligé ou loupé ?

Suis-je passée à côté d'une part de son être kaléidoscopique et dangereux ? Par confort sans doute, pensa Anne tout à coup, ou par crainte de ne savoir qu'en faire. Connaissait-elle tout de son Oskar et de ses fantasmes ? Cette comédienne ne savait-elle pas, pour en avoir fait son métier, que les êtres à visage unique n'existent pas ?

Inquiète et éprise – entendez : refusant la défaite sentimentale –, Anne quitta la répétition sans que le dramaturge se fût aperçu de sa discrète présence. Infiniment perplexe, elle était tombée dans le piège de la compétition. Dans ses mâchoires.

À onze heures deux minutes, Oskar reçut un courriel sans équivoque de Roses.

Sa constante inconstance – la raison d'être de la jeune femme – fonctionnait toujours à merveille. C'est donc en grande professionnelle de l'inattendu, pétrie de culpabilité, qu'elle exécuta Oskar. Après le chaud, il lui fallait souffler le glacial de la banquise pour se l'annexer en le quittant ; sans que Roses eût le moins du monde conscience du manège auquel elle se livrait.

> Mon amour impossible,
> mon Oskar pour toujours,
> cet appartement nantais est une erreur.
> Un trou d'air.

Je te quitte pour m'en sortir, et ne pas finir trop divisée, trop médicamentée par ta faute. J'en suis désolée. Suis-je responsable des incendies de cœur que j'allume malgré moi ? de cueillir avec fougue les sentiments qui se présentent ?

La mère de Clémence mérite mieux que cette chute. Permets-moi ce tutoiement à présent que nos rapports vont être sectionnés. Nous n'aurons jamais d'enfant. Avant ma fille, j'ai aimé me mêler aux fièvres multiples et aux amours concomitantes. Mais cette nature compliquée, je vais m'efforcer de l'enterrer au plus profond de mon être. Nul ne doit savoir qui je suis.

À tes côtés, dans ton monde parisien, au milieu de la cour ambulante et brillante que je te suppose, je serais si ridicule, et vite blessée. Toutes les fois que je m'imagine dans le rôle de ta dernière femme, je suis saisie de honte et de nausée. Tu n'es pas l'homme simple et stable qu'il me faut.

Tu ne me tiendras plus par quelque manière que ce soit. Même si tu es insupportablement désirable et que tu en abuses sans culpabilité. Ah, si tu savais combien cela me coûte de te décevoir ! Mais l'amour est cette chose que l'on désire trop pour qu'elle soit complètement réelle. Que veux-tu, j'ai le désir d'aimer plus que d'être aimée. Je manquerais gravement à la vérité si je ne te disais pas que notre rencontre doit rester une parenthèse. Nous sommes un duo, pas un couple.

Et puis parlons net : chez moi, rien n'est épanoui,

ni mon visage, ni mon esprit. Je vis un semblant de vie. La gourde moche que je suis et l'instable débile que je resterai toujours ne te mérite pas. Je ne suis pas, Oskar, de ces femmes d'exception capables d'imprimer un mouvement vaste au sort qui t'attend. Anne la magnifique est de ton calibre, de ton milieu, et conforme à tes attentes.

Nous allons vite rendre cet appartement, corriger ce dérapage.

Je ne suis qu'une faute sans éclat, une flirteuse inapte à l'engagement, juste une petite blogueuse insignifiante qui se mêle à la futilité des temps et à qui il arrive de s'étourdir.

Tu le sais comme moi : tout chez nous s'accorde pour le pire. Ensemble, nous plongeons dans le n'importe quoi. Je néglige affreusement ma fille depuis que nous nous sommes intoxiqués de l'autre. L'addiction m'a jusque-là retenue captive mais ce n'est pas la marque de l'amour vrai. Que de bonnes raisons pour abréger nos égarements, nos babillages numériques qui gaspillent nos journées, nos enfantillages sensuels et notre glissade vers l'immoralité.

Avant toi, j'étais une pétasse quelconque à la sexualité émiettée ; avec toi, je suis le vice, non, pire encore : l'excitation dans le vice tortueux. Je ne suis pas polyandre. Pas question de devenir une femme sans scrupules, dévorée de besoins fous et finalement esclave d'un tempérament tyrannique dont ma Clémence – à qui je dois tout – rougira un jour. Elle ne doit rien apprendre, et croire en l'amour calme de ses

233

parents. Mon existence n'aura pas la physionomie scandaleuse et perverse de la licence !

Tu ne m'entraîneras pas.

Je ne bâclerai pas mon sort pour toi.

Je suis une âme frileuse.

Je ne te boirai plus.

Je reprends les rênes, et mon honorabilité.
Fini de te désirer trop, même si la constance ne
m'amuse pas beaucoup. J'efface le goût de ta queue
(terrible comme j'aime prononcer ce mot en songeant à toi) qui m'obsède (si j'en possédais une
vidéo, crois-moi, je l'effacerais), je gomme le parfum de ta nuque, les adresses inouïes de ta langue
sur toutes mes lèvres, le charme de tes regards sur
moi et jusqu'à tes doigts qui me chavirent quand
tu les plonges dans ma chevelure en vrac.

Je ne regarderai plus mon smartphone toutes
les cinq minutes (je sais, cette frénésie où s'en-
gloutit notre énergie est pitoyable). Je ne dégus-
terai jamais plus de framboises.

Ne me rends plus dépendante de tes messages !
Tu m'entends ? Je compte sur toi, sur ta promesse
de me laisser tranquille. Sache bien que je suis
hideuse et terne. Je débranche toutes les alertes
internet qui me permettaient – je l'avoue – de
suivre ton quotidien en quasi-temps réel. Je ne
surveillerai plus jamais les commentaires des
autres femmes à ton sujet sur les réseaux sociaux
pour contrer d'éventuelles rivales. Plus jamais !

Je ne serai plus tentée d'écouter en douce ta
boîte vocale ; ce que je faisais. Change ton code
de sécurité, par pitié.

Ma jalousie est éteinte.

Je ne suis pas née pour veiller sur toi, et t'offrir tous mes dévouements. Je ne t'ai jamais aimé.

Respecte ma fille : oublie-moi s'il te plaît !

Oublie surtout mes épaules nues, et ma croupe (ah comme j'ai aimé que tu me soumettes !). Laisse-moi ! Je t'en supplie. Par pitié ne me tente plus. Ne me veux plus. Quand les premiers crocus du printemps surgiront, tu m'auras oubliée. Je t'interdis de bander quand tu penses à moi. Je suis avant tout une maman.

Et une énigme pour moi-même.

Ah que j'ai mal de tout cela !

Adieu.

Roses Violente

C'était très Roses. Prétendre souffrir des tourments dont elle était la cause ; clamer une opinion et exprimer l'inverse. Faire rouler le tambour de la détermination tout en sifflotant l'envie contraire.

Oskar le vit bien mais manqua tout de même s'évanouir.

— Ça va ? lui demanda Bérénice.

— Pas vraiment. On change complètement la scène 38, la 22 et la 43… et la 47. La 45 aussi.

— Ce n'est plus une pièce, c'est…

— Quoi ?

— Un champ de bataille !

*(salon paisible de Roses, un thé au jasmin
est servi, accompagné de biscuits succulents)*

Heureuse d'être revenue à la raison, alanguie derrière sa baie vitrée à Saint-Sébastien-sur-Loire, Roses s'étira telle une chatte au soleil en avalant ses cachets de Valium. Rien n'est moins sentimental qu'une femme en désamour, ou qui se veut déjà loin d'un homme.

Elle bivouaquait dans son salon.

Roses avait expédié ce mail définitif en s'abandonnant à la douceur de sa vie ritualisée, enfin verrouillée, sérénisée – grâce à la chimie neuroleptique et à leur cave fournie en bordeaux à laquelle Antoine lui interdisait expressément de toucher.

Rassemblant sa personnalité éparse, oubliant comme elle le pouvait l'appartement nantais qu'elle venait de louer et les commandes qu'elle avait effectuées pour le meubler, elle se jeta avec sérieux dans la correction des copies de ses petits élèves.

Son intention était de ne plus lire désormais que des auteurs de haute époque mâtinés de catholicisme. Des plumes sans débords, très boutonnées. Fini les chemins de traverse de la littérature contemporaine trop permissive.

Tout était ordre et joie dans son cœur

élagué et rendu à l'honorabilité provinciale à laquelle elle aspirait.

Roses savait à merveille se leurrer elle-même. Talent indispensable – elle l'avait appris – pour qui se rêve en princesse de Clèves d'un collège breton, en Bovary repentie de Loire-Atlantique ou en héroïne stylée de Saint-Sébastien-sur-Loire.

Son inconscient avait beau baigner dans un maelström d'alcool et de chaos, Mlle Violente avait aussi la tripe vertueuse. Sa décision, monument de sagesse irréversible, allait assurer un bonheur éternel à sa famille, à sa fille qui grandirait auprès de ses deux parents n'ayant jamais failli à leur union. Elle rémunérait sa nostalgie d'une quiétude retrouvée.

Roses fleurirait au fil des saisons à Saint-Sébastien-sur-Loire et le bel Antoine prospérerait ; quoi qu'il ait pu lui faire. Elle ne serait jamais heureuse près de lui mais toujours satisfaite ; ce qui est déjà beaucoup. Roses lui offrirait les tendresses qu'elle avait tant aimé offrir à Oskar, en l'associant à sa part de fantasmes le moment venu. Quand il serait prêt. Les épisodes de violence entre eux seraient révoqués. Elle sentait bien que son couple avec Antoine n'était pas une terre brûlée ou un no man's land ; il y restait des germes et assez d'élan pour que Clémence pût grandir avec ses parents.

Certes, l'ennui et le contrôle tatillon étaient

bien les spécialités d'Antoine ; mais après tout, n'était-ce pas elle, la frivole Roses, qui avait provoqué chez lui des jalousies très justifiées ? Elle seule devait en porter la culpabilité. Cette passion copieuse, parisienne et désordonnée était bien close. Et si Antoine s'était permis de la prendre contre son gré, impossible de lui en faire grief. Elle devait l'accepter. Mieux, s'en excuser. Antoine était si bon !

Tout recommençait donc, sous le soleil illusoire de la sérénité qu'elle se souhaitait.

SCÈNE 44
(scène du théâtre d'Oskar.
La répétition se poursuit)

Effaré sur la scène, et croyant se noyer pour de bon, Oskar respira à fond. Tandis que sa Roses s'échappait, il s'aperçut avec effroi qu'il tenait à elle dans la mesure où elle le fuyait.

Oskar recula et s'obligea à maîtriser son vertige, sous l'œil effaré des acteurs qui continuaient leur improvisation en suivant les indications qu'il venait de leur donner. Ninon, Hector et tous les autres sentaient que ce que Humbert vivait finirait d'un instant à l'autre dans la pièce, et inspirerait leurs propres émotions.

Oskar reprit son smartphone et rétorqua à Roses par un simple SMS :

— Ne m'as-tu pas dit que tu éprouvais la plus grande violence quand Antoine te touchait ? Avec l'assurance odieuse d'un conjoint qui prétend te posséder. Et te mettre en cage.

— C'est rigoureusement exact. Et légitime, répondit aussitôt la jeune femme.

Oskar resta stupéfait qu'après une telle lettre d'allure définitive Roses lui réponde aussi promptement. Les mots n'avaient-ils donc aucun poids ?

Il embraya :

— Aucune femme ne peut revenir auprès d'un homme après avoir déclaré une chose pareille !

— Ah bon ?!! s'exclama Roses en tapant à toute allure sur son smartphone. Mais d'où sors-tu ? N'es-tu pas au courant que les femmes malheureuses le sont généralement parce qu'elles sont amoureuses ?

— Et ?

— J'AIME Antoine ! s'exclama-t-elle par écrit.

— Tu disais qu'il te bouclait le soir, qu'il t'interdisait même de sortir ! répliqua-t-il.

— Je ne mérite que ça.

— Tu m'as dit qu'il avait tenté de te faire interner.

— Il s'en veut tellement de cet épisode. Il est si touchant, atrocement touchant.

— Tu es sérieuse ?

— Je suis une merde, une laideronne. Je ne mérite pas tes attentions, mon amour impossible, ni ta douceur, ni ta folle confiance, ni ton cœur. Tu es trop bienveillant pour moi. Beaucoup trop ! C'est invivable !

— Roses, tu mérites toute la gentillesse du monde.

— Au-delà du désir, Oskar, tu es trop bon pour moi, je ne peux pas l'accepter. Tu es trop gentil. Je ne sais pas accueillir ça.

— Tu plaisantes ? Ou...

— Veux-tu la vérité ou que je te rassure ?

— La vérité.

— Ta bonté m'angoisse.

— Tu veux que je te traite mal ? Que je te nie moi aussi ?

— Oui. Tes compliments mensongers, truqués même, m'exaspèrent. C'est insupportable. Ça ne peut pas être vrai. Et puis...

— Quoi ?

— Es-tu conscient que je n'ai pas le droit de tomber amoureuse de toi ? Antoine a tout quitté pour moi, tout sacrifié. Il n'a pas d'amis. Sorry.

— Je t'aime, ma chérie ! explosa Oskar.

— Oh, comme j'aime quand tu m'appelles « ma chérie »... mais je dois te protéger de moi. Sérieusement.

— De toi ?

— J'aspire à être délivrée de ma personnalité et je ne le peux pas. Et je ne vaux rien. Entends-le !

— Avec Antoine, tu bois gravement et tu te bourres de neuroleptiques !

— C'est t'aimer qui me divise et me fait boire. C'est toi la cause.

— Quitte cette vie à Saint-Sébastien-sur-Loire qui te détruit. Viens à Paris.

— Tu ne me connais pas. Je suis un bloc de culpabilité qui ignore la culpabilité. Une illusion intégrale. Une générosité égoïste. Une douceur sans pitié.

— Je t'aime, ma Roses.

— Ça me blesse.

— L'amour te blesse ?

— Affreusement...

— Ce n'est pas possible.

— Si, mon amour impossible. Je suis une merde, incapable d'engagement. Une merde ! te dis-je.

Estomaqué par cette femme au rebours de tout, sensuelle, cérébrale, si difficile à oublier et encore plus à aimer, Oskar demeura coi un instant.

Les comédiens le guettaient, attendaient des consignes précises qui ne venaient pas.

En lui, la sidération, l'incompréhension et la curiosité faisaient cortège. Roses le fuyait, il la voulait davantage. Aucune possibilité pour

241

lui de se refroidir. Son cœur incendié était soudainement piégé. Oskar se trouvait trop comblé par cette femme et trop soudainement sevré pour s'en dégager.

Et puis… Roses l'inspirait comme aucune femme ne l'avait jamais fait. Son penchant maternel mêlé à sa passion pour les fellations, ses retournements incessants, tout cela faisait danser son esprit. Comprenant alors que la sincérité cinglée de Roses était peut-être un écho de la sienne, il lui répondit sans fard :

— Moi aussi.

— Quoi moi aussi ?

— Je suis une merde.

Oskar avait-il écrit ces quatre mots d'aveu pour rejoindre Roses dans sa démence ou parce que c'était exact ? Prenait-il un masque par amour ? Était-il capable de modifier l'idée qu'il se faisait de lui-même pour lui plaire et l'atteindre afin de ne plus être séparé d'elle ? Était-elle assez puissante pour le conduire à nier sa fierté ? Était-il réellement marqué du sceau du mépris de soi ? Cette dévalorisation qui, par réaction, fait s'éprendre de l'idéal de soi ?

Soudain, il ne savait plus.

Gonflé d'exaltation, drapé dans sa fièvre, Oskar oublia les comédiens qui restaient muets sur la scène de son théâtre. Hypnotisé par la violence de sa propre histoire, il ne pouvait plus jouer son rôle de dramaturge.

Il quitta la scène et se réfugia au fond de la salle pour écrire à Roses, d'une traite, un courriel cogneur qui résumait leur histoire. Une lettre incroyablement giflante qui n'avait rien à voir avec sa prose ordinaire où, il faut bien le dire, toutes les réminiscences scolaires dégringolaient au fil des paragraphes, entremêlées de niaiscrics, d'emphase trop sucrée et d'extravagances au petit pied. Sa pensée perdait souvent son sol, elle disqualifiait alors les choses au profit des mots.

Cette fois, Oskar écrivit brut, sévèrement, en poussant jusqu'au grotesque la perception erronée que Roses avait d'elle-même, pour qu'éclate enfin le ridicule de sa mésestime :

Lettre à une illégitime en tout

Un jour surgit dans ma vie, au pied des escaliers de la gare Montparnasse, une truqueuse de haut niveau. Cette Black trentenaire, avec sa peau sauvée, semble un ange égaré parmi le vulgaire.

Quel trompe-l'œil !

En vérité, sa gentillesse tient lieu de curseur à son égoïsme. Et son sourire n'est que le masque de son anxiété.

Dans sa démence, cette mocheté cesse instantanément de voir chez moi le minable que je suis. Leur folie conjointe est en route ; elle amplifie la sienne. Elle se figure, cette poufiasse au cerveau aboli, que je suis bien Oskar Humbert, le

Humbert dont le nom éclate sur les affiches des théâtres de vingt capitales. Alors que je ne suis qu'Oskar, un étroit en toutes choses qui, à n'en pas douter, ne méritera jamais d'être aimé avec dévouement et surtout sans condition !

Une merde moi aussi.

En voiture, Oskar pose aussitôt sa main sur sa jambe jaillie d'une robe marilynesque, légère et cintrée à souhait, et elle tremble. Il sait que cette femme sans qualités entre dans sa vie d'homme pour toujours, et que sa névrose l'ébranle tout à fait. Elle est le vide, lui le trop plein. Elle l'absorbe. Il sent que s'ouvre devant lui un tunnel de douleur et de bonheur sentimental.

Cette ignorante est, hélas pour lui, la vivante réponse à son propre besoin de folie. Il lui est accroché (et soumis ?) comme un enfant à sa mère. Elle l'inattendu par lequel le monde lui devient parfait, respirable et délectable.

Commence alors pour Roses Violente une souffrance : à quel moment va-t-il s'apercevoir, lui, le solaire Oskar Humbert, de ce qu'elle est en vérité ? Qu'elle n'est qu'une piteuse créature sans grand relief, hideuse, velue et dotée d'un épiderme râpeux, une sans-cœur qui n'est fidèle qu'à ses souvenirs, pas aux hommes.

Alors Roses va donner à Oskar tout l'amour qu'elle contient pour être tout de même digne d'un fragment de son attention ; car elle ne mérite pas mieux.

Sentant bien que cet amant sera essentiel dans sa destinée, elle se prépare à être pour lui tout

244

ce qu'un homme peut rêver d'une femme, afin de racheter l'indignité de son âme.

Roses n'aura pas la libido paresseuse !

Elle aura, pour se l'attacher, des fringales sexuelles illimitées, produira des fantasmes à foison et aura la fraîcheur de les assumer. Elle les lui propose même, devançant les envies qu'il ignore, tant cette créature s'excite à l'idée d'être le fantasme masculin absolu qui, en offrant TOUT, compense sa médiocrité.

Plus Oskar commet la faute impardonnable de la valoriser, plus Roses mêle à son désir une part de colère. Crétin, l'écrivain la blesse odieusement par sa bienveillance. Il l'aide sans compter. Quel idiot ! Comment ne voit-il pas qu'aider Roses avec douceur c'est la perdre ?

Le falot Antoine, lui, est intelligent : il sait la brutaliser.

Alors elle fuit Oskar comme elle peut et envisage de faire sa vie avec un époux qui, lui, a l'esprit de l'enfermer à double tour dans une cage. Une vie étroite digne d'elle.

Sa place, à elle, c'est de regarder Oskar à la télévision, en spectatrice. Un jour ou l'autre, Oskar Humbert se serait aperçu que tout en elle est bidon.

Leur histoire n'est possible que dans l'ombre d'un tête-à-tête ou dans une chambre d'hôtel où elle règne sur ses sens, là où personne ne pourra se rendre compte qu'elle n'a rien à faire au bras d'un homme si reconnu.

Lorsque son mari et ses parents ont souhaité la faire coffrer dans un asile, ils l'ont violentée

245

mais Roses n'a bien entendu pas porté plainte. Ç'eût été trop facile de faire valoir devant la loi sa qualité d'être humain méritant le respect. De quel droit, elle, cette moins que rien, aurait-elle pu se rebiffer et affirmer sa dignité ?

On peut menacer Roses, la soumettre à des interrogatoires, l'assigner à domicile, elle reviendra toujours à la niche.

Si malgré tout elle retournait sans cesse vers Oskar qui daignait lui concéder un peu de considération c'est qu'elle sentait que cet homme incarnait cette part d'elle-même à laquelle elle aurait tant voulu accéder.

Trop tôt encore !

Pour l'heure, elle devait retourner chez son bourreau, celui qui songeait à la priver de sa fille sans sourciller si elle désobéissait.

Elle s'emmura vive.

C'était si rassurant de ne plus s'exposer à la douleur d'être considérée comme un bouquet de qualités. Et pour y parvenir, il suffisait de charger sa mère de toutes les noirceurs, afin d'exonérer le père de son enfant de toute responsabilité. Ce choix tragique, Roses l'accomplit sans hésiter.

Avant que quelque chose se passe en elle.

En post-scriptum, Oskar avait ajouté : *À toi de m'écrire. Je mérite une salve équivalente.*

(salon en désordre, puis chambre de Roses
aux couleurs pastel, apaisantes)

Percutée par ce mail, Roses referma son ordinateur d'un geste très lent. Jamais on ne lui avait parlé ainsi.

Derrière l'outrance, elle saisissait l'odieuse part de vérité.

Roses fut alors emportée par une crue de larmes inarrêtables, puis saisie de douleurs au ventre et de sévères nausées. Dans sa maison de Saint-Sébastien-sur-Loire, les sons lui parurent soudain lointains. Les cris de sa fille étaient ouatés, tout comme les rires d'Antoine qui la faisait jouer dans sa chambre.

Roses perdit connaissance.

Lorsqu'elle se réveilla, elle se trouvait dans son lit. Ne comprenant pas ce qui s'était passé, Antoine lui expliqua qu'il l'y avait délicatement portée.

— Tu devrais reprendre ton Valium… dit-il en haussant les épaules.

— Je respecte ce que dit le médecin.

— Promis ? Tu dois te soigner.

— Oui.

— C'est important pour toi.

— Ou pour toi ?

— Y a-t-il un autre homme ?

— Non.

Ce *non* était sorti spontanément, sans calcul ni rouerie.

Bien entendu, Roses et Antoine ne s'aimaient plus que certains samedis soir, avec des contentements tièdes, bien sûr les géraniums aux fenêtres de leurs cœurs étaient fanés, mais elle, comme lui, refusaient de l'admettre.

Croire en leur essoufflement leur semblait impossible.

Ils n'avaient pas le droit de ne plus s'aimer, de ne plus être ce couple incroyable, ce duo mythique qui avait su traverser les adversités, et boire ensemble la ciguë du qu'en-dira-t-on.

Cherchant à la réconforter, et voulant sincèrement se montrer gentil, Antoine lança avec le sourire :

— J'ai lu que ton Humbert allait sortir une nouvelle pièce à Paris, comme chaque année. Tu ne le savais pas ?

Stupéfaite, Roses écarquilla les yeux.

— Non.

Heureux de la voir réagir, Antoine poursuivit :

— Très drôle, il paraît. Le titre est provisoire, ai-je lu dans *Télérama*. Heureusement… : « Tout commence ».

— Ah…

— On y va ?

— …

— Pour l'anniversaire de notre rencontre…

fit Antoine en souriant, j'ai réservé deux places, ma chérie.

Sidérée par la situation, Roses ne sut que répondre. Il ne savait donc rien au sujet d'Oskar.

Pour Antoine, c'était, et elle le savait, un effort véritable que d'assister aux représentations d'Oskar Humbert. Il préférait de loin les dramaturges qui déconsidèrent l'amour, les cyniques de haute volée. Cet amoureux de l'Antiquité n'avait jamais regardé les émois ordinaires que comme des faits à méditer.

— Peux-tu me laisser pour de bon ? chuchota-t-elle.

Sentant bien que quelque chose de décisif se jouait malgré l'assurance que Roses venait de lui donner, Antoine sortit de la chambre. Qu'avait-il donc dit pour trébucher ainsi, alors qu'il avait cru lui faire plaisir en l'emmenant au théâtre ?

Inquiet, Antoine ne pouvait plus s'empêcher de songer à la scène nocturne qu'il avait tenté de refouler : Roses en train de skyper en pleine nuit avec l'un de ses collègues – il en était certain – à qui elle s'offrait à distance, alors même qu'elle venait de se donner à lui avec conviction. Un froid le glaça, durcissant son caractère et le projetant dans une férocité inhabituelle. En poussant loin le bouchon, Roses révélait les êtres. Sa liberté déchirait leurs masques.

Nauséeuse et tourneboulée, Roses se demandait pourquoi rien dans son existence n'avait jamais été plausible. Rien. Jamais. Elle avait toujours été menée par une vie qu'elle n'avait pas très bien comprise ou vraiment contrôlée.

Quelle pagaille sentimentale !

Quelle joie !

Rien que d'y repenser dans son lit, Roses en avait le vertige.

Jamais la vie n'avait pu être pour elle un dimanche lent, gris et ennuyeux.

Un séminariste était également tombé dans ses filets aux alentours de ses dix-sept ans, se remémora-t-elle ; il lui avait parlé de Dieu – un étranger pour Roses – en lui faisant connaître d'acrobatiques plaisirs dans une sacristie.

Quand était venu le tour d'un bel enseignant de son établissement baulois, un certain Antoine Nikos, un cran avait encore été franchi. Roses s'était arrangée, pour se rapprocher de son fils, Maxime Nikos, également élève au lycée Grand Air. Le jeune homme était tombé follement amoureux d'elle. Roses ne lui avait pas rendu ses avances, mais avait accepté de se rendre chez les Nikos avec pour seul objectif d'apprécier l'endroit où vivait l'homme mûr qu'elle aimait. Respirer son air, toucher ses meubles, caresser ses chats ! Et voir l'épouse qui régnait sur ses sens. Roses n'avait alors rien désiré de plus que de frôler Antoine Nikos dans son intimité. Rien n'était pourtant calculé. Il lui avait semblé que le destin la pilotait.

Ainsi, Roses avait-elle promené ses décolletés sous le nez de son professeur de français, sans même concevoir l'effet très sûr de ses atouts. Elle avait ainsi pu mesurer le délabrement du couple que formaient les Nikos, et la disponibilité du père. Liberté qui avait laissé Roses dans l'espérance que « quelque chose » se produirait. Un événement net qui la délivrerait de son envoûtement ; même si elle ne s'était jamais imaginé devenir madame Nikos ou la maîtresse en titre de son professeur.

Tout son caractère était déjà là, conclut-elle navrée en se recroquevillant dans son lit. Romancière non pratiquante (elle n'écrivait que son pauvre blog), elle créait sans trop réfléchir des situations propres à exciter son cœur et ses sens. Puis elle cessait d'agir ou même de vouloir, en spectatrice passionnée de la pièce de sa propre existence, sans rien espérer de précis. Calculer lui était étranger.

Un soir, se souvint-elle en prenant des cachets pour calmer ses nerfs, Roses s'était laissé embrasser par le père de Maxime, comme dans un rêve inespéré. Elle n'avait pas provoqué ce baiser, mais s'était seulement laissé faire, aidée par les médicaments.

La suite lui revint en mémoire dans un

251

chaos de souvenirs. Horrifié par sa trahison, son petit ami Maxime Nikos avait pris les choses fort mal. Quant aux parents de Roses, d'abord effarés puis outrés qu'elle leur échappât à ce point (ils ignoraient l'étendue de ses licences) et puisse leur faire honte dans le petit monde guindé de La Baule, ils l'avaient mise dehors.

Le divorce d'Antoine Nikos n'avait pas traîné, avec son lot de cris et d'invectives, car l'épouse avait eu certaines difficultés à garder son sang-froid. Le jour de leur mariage – Antoine lui ayant illico demandé sa main – Roses se souvenait nettement qu'elle avait hésité à se rendre à la mairie. Sur les marches, elle avait été saisie par l'envie de fuir au bout du globe ; mais son père l'avait rattrapée et conduite fermement jusqu'au maire en lui assenant ces mots :

— Cet homme-là, tu l'as voulu ! Maintenant épouse-le et garde-le jusqu'à ce que mort s'ensuive !

Au maire interloqué, Roses avait donc dit *oui* tout en pensant *non*. Changer d'avis à l'ultime seconde lui aurait semblé d'un théâtral achevé, une manière aussi de tester l'amour d'Antoine. Il avait senti son doute mais ne s'était pas dépris d'elle. Antoine avait accepté sa nature, terrorisé à l'idée de la perdre ; ce qui avait infiniment touché cette dernière. Rien ne la bouleversait autant que d'obtenir des preuves d'amour des hommes qu'elle malmenait ou humiliait – sans l'avoir toutefois souhaité.

Roses fouilla dans son ordinateur portable.

Elle avait conservé des clichés de leur arrivée à Saint-Sébastien-sur-Loire, où leur couple nouvellement bagué avait fui le qu'en-dira-t-on. Antoine et elle avaient déménagé dans cette bourgade où se jouait moins la comédie sociale, avec la plus entière conviction que Roses avait définitivement enterré sa part d'exaltation. À dix-huit ans, Roses Violente était persuadée que la vie lui avait déjà servi ses meilleurs plats. Elle se croyait protégée des passions. Pourquoi diable irait-elle désormais chercher plus loin sa ration d'émotions ?

Alitée, Roses finit de reprendre son souffle.

Les cachets commençaient à faire effet.

Elle posa son ordinateur et prit son smartphone – le caresser lui donna envie d'Oskar ; puis elle replongea dans ses souvenirs. La naissance de Clémence avait un temps achevé de la guérir de l'habitude du frisson ; mais cela durerait-il ? Roses s'était pourtant imaginée prête à se jeter dans la fidélité. La tentation des vies trop grandes l'avait quittée, elle l'avait cru. Aucun amant ne la pousserait plus jusqu'au bout de ses limites.

Quoi qu'ait pu lui écrire Oskar dans ce long courriel, plus question de se laisser aspirer par les désirs qui lui avaient tourné la tête. Terminé le tourniquet des amours impossibles.

Roses ne voulait plus s'épuiser dans ses sentiments.

L'amour ne serait plus un problème pour elle. Un seul nom l'occuperait à jamais, celui d'Antoine Nikos.

Par la porte entrouverte de la chambre, ce dernier l'épiait.

Un SMS d'Humbert s'afficha alors sur le téléphone de Roses :

— Je t'aime.

— Mon histoire tourmentée doit s'arrêter, lui répondit-elle aussitôt.

— Se figer ? reprit Oskar.

— Oui, dans le marbre d'un long mariage.

— Pourquoi ?

— Avec toi, Oskar, je ne m'ennuierais jamais, mais la vie serait une pièce perpétuellement en cours d'écriture. Et je ne le veux pas, ne le veux plus. Mon histoire doit s'arrêter.

— Vraiment ?

Pour mieux se faire entendre, Roses appela Oskar sur Skype.

(réseau Skype. Oskar et Roses se parlent
par écrans interposés. Autour d'eux,
le monde réel n'existe plus.
Embusqué derrière la porte, Antoine les écoute)

Roses apparut près d'Oskar sur l'écran de leur smartphone.

Par la porte entrouverte, Antoine les entendait sans les voir ; il était persuadé que sa Roses parlait à l'enseignant avec lequel il l'avait vue dans un café de Saint-Nazaire.

— Oui, mon histoire doit s'arrêter pour toujours ! s'exclama Roses. Si je te le dis en face, tu l'entends ?

Le talent de Roses était de créer sans cesse, et sans y réfléchir, des enjeux qui rendaient palpitantes les moindres situations. Ses élans avaient ce quelque chose d'excessif qui réveillait chez les hommes l'esprit de contradiction.

— Il le faut, vraiment... soupira Roses en se mordant la lèvre.

Jamais visage ne sembla souffrir autant d'un choix.

Sur l'échelle de son malheur, Roses était à dix sur dix.

Oskar en eut le cœur percé.

— Il le faut ou le veux-tu ?

— Je le veux, répondit-elle en fixant l'écrivain

jusqu'au fond des pupilles. Je n'ai pas le droit de faire ça à Antoine. Il n'a pas d'amis, seulement des collègues. Il ne s'en remettrait pas.

— Tu l'aimes ?

— Notre couple a su traverser toutes les épreuves. Nous sommes insubmersibles ! Voilà notre force !

— Je t'aime, ma chérie.

— Ne m'appelle plus « ma chérie », je t'en supplie.

Derrière la porte, Antoine exultait.

Le petit professeur de mathématiques se faisait donc moucher.

Roses ajouta, en fixant Oskar avec une émotion qui la dépassait :

— Même si tu es... Comment dire ? Même si ton regard sur la vie est tout ce qui me...

Roses se ressaisit à temps et murmura d'une voix étranglée :

— Tu ne dois plus jamais me solliciter.

Oskar pensa : cette femme est prodigieuse. Elle est le vivant de la vie, le cœur même de ce qui palpite. L'aimer, c'est vivre plus.

— Promets-moi de disparaître, insista Roses d'une voix vacillante. Nous ne devons plus jamais nous revoir.

— Pourquoi ?

— Tu le sais. Je t'en supplie.

Oskar n'avait encore jamais été confronté à une femme aussi gouvernée par son désir et aussi déterminée à ne pas y céder. Roses le voulait comme aucune femme ne l'avait jamais désiré – ce qui le rendait fou – et le repoussait avec la même puissance.

L'un et l'autre se turent.

Muette alors que le réseau Skype continuait de les relier, Roses demeurait en face de lui, silencieuse. Il se tut également.

C'était flagrant, ces deux-là n'avaient pas envie de se laisser passer le licou de la fidélité. On les sentait saisis par l'appétit de ces plaisirs que, sottement, on dit charnels. Par instants, Roses frôlait Oskar de ses regards chauds.

Ils évitèrent leurs regards, les croisèrent fugitivement à la dérobée, se fuyaient.

Ils ne disaient rien car parfois le mot rate l'émotion.

Une mélodie silencieuse les unissait, comme s'ils avaient formé une seule musique.

Impossible d'estomper l'évidence : c'est en s'étreignant à perdre haleine que ces deux-là avaient achevé de se séduire.

Rien ne paraissait pouvoir les séparer, comme s'ils avaient eu des choses à se dire pour toujours. Oskar pressentait – avec panique – qu'ils voyageraient une vie durant à frais communs, dans le même wagon fonçant vers leur folie amplifiée l'un par l'autre.

En présence de Roses, le dramaturge se découvrait de nouvelles idées de pièces et quelques sentiments de plus dans le cœur. Oskar comprit qu'avec cette femme impossible la réalité ne se limiterait jamais à ce qui se perçoit. Son imagination brûlait constamment des calories, comme si exister sans bouger avait été pour elle un sport.

— Tu as chaud ? lui demanda-t-il soudain.

— J'ai toujours 0,5 degré de plus que tout le monde.

Avec drôlerie, Roses lui expliqua qu'elle pouvait avaler quatre pains au chocolat au goûter ou dîner plusieurs fois sans prendre un kilo. Son métabolisme excessif cramait tout. Puis elle ajouta un détail qui l'alluma :

— Dans un lit, je suis une vraie bouillotte !

Oskar ravala sa salive. Rien n'était plus étranger à Roses que l'esprit de calcul. Fille de jaillissements, elle improvisait même lorsque ses initiatives semblaient pensées.

— Adieu Oskar... lui murmura-t-elle en se sachant incapable de se déprendre de lui.

Puis elle ajouta :

— Coupe Skype... je n'en ai pas la force.

Je n'ai pas envie de toi. Je ne désire pas ton corps, ni ta queue. Je ne te veux plus...

Comme fou, Oskar coupa la ligne.

Personne ne l'avait jamais excité ni narcissisé avec cette maestria et cette violence. Quoi qu'elle prétendît, Roses paraissait incapable de maîtriser ses sens. Son envie de se donner à Oskar, et d'abolir toute pudeur dans ses bras, la submergeait malgré ses décisions empilées. Nostalgie de leurs peaux échauffées l'une par l'autre, des instants où elle l'avait bue. Pour Oskar, il était fascinant de faire dérailler une femme pareille.

Mais il sentait bien que poursuivre une telle relation le conduirait à abdiquer toute dignité. Donc à perdre l'estime d'Anne qui aimait en lui le héros fougueux, et non l'éventuelle carpette.

Aussi déclara-t-il fermement par SMS à Roses :

— Roses, tu sais ce qui se passera si nous nous revoyons ?

— Non... lui répondit-elle.

— Nous créerons de nouvelles illusions et détruirons notre amour. Nous chercherons moins à nous aimer qu'à nous trouver des raisons de vivre au-dessus de nous-mêmes, hors de tout contrôle.

— Ça peut être... très excitant, avoua-t-elle en faisant volte-face.

— Voilà pourquoi il ne faut pas nous revoir. Jamais ! insista Oskar, se croyant à son tour un bloc de granit. Mettons notre héroïsme ailleurs. D'accord ?

— D'accord, game over.

— Game over.

— Je ne serai plus ta Roses… ni ta chienne, ni ta soumise, ni ta muse, ni ta petite pute de cœur.

— Oui, c'est fini.

— Pour toujours.

— Pour toujours, tapa Oskar.

— On se revoit quand ? lui demanda Roses.

— Demain, à midi, lâcha-t-il sans réfléchir. Où ?

— Chez nous, imbécile.

— Je t'aime, ma chérie.

— Je ne parviendrai jamais à m'interdire de t'aimer.

— Ni moi.

— Aucune ne t'aimera comme je t'aimerai.

Roses était tout et son contraire : déterminée et changeante, fidèle et infidèle, heureuse et malheureuse. Tout et un peu plus. Odieuse. Inoubliable.

Spontanément, elle ajouta par SMS les mots fatals, irréversibles :

— Si nous avons une fille, nous l'appellerons Lila.

— Oui, Lila. Lila. Lila. Lila… répéta Oskar

qui, auprès d'Anne, avait fini par s'habituer à l'idée qu'il n'aurait jamais d'enfant.

Roses l'aimait comme elle n'avait sans doute jamais aimé ; son cœur était revenu à lui. L'amour tout entier était rentré dans son âme. C'était une fièvre de tête, de cœur, des sens.

Embusqué derrière la porte, Antoine n'avait pu lire leur dialogue par SMS.

Il ignorait encore que c'était Oskar Humbert qui captivait sa Roses.

Rassuré par ce qu'il avait cru saisir, l'enseignant n'imaginait pas une seconde ce qui allait suivre, ni surtout qui il allait devenir. Très vite. La jalousie, parfois, recompose un caractère. Le charmeur casanier si discret qu'on aurait pu le croire absent, allait se découvrir l'âpreté d'un héros de roman russe. Non parce que Antoine en avait l'étoffe mais parce que Roses lui assignerait bientôt cette dimension tragique dans la comédie qu'elle se donnait à elle-même. Ce modeste calibre allait se hisser vers l'ignominie de grand style.

Roses savait éjecter ses hommes du cadre étroit de leur personnalité ; ce qui est une qualité.

SCÈNE 47
*(appartement en rez-de-chaussée
de Roses et Oskar, à Nantes.
Petite cour arborée et ensoleillée)*

Le lendemain, à midi, Oskar pénétrait chez eux.

Puis il réceptionna la première livraison : un matelas et un sommier : le lit gigantesque et ferme sur lequel il s'imagina déjà avec Roses. Lila y serait bientôt conçue. Clémence aurait une petite sœur. Il aurait son premier enfant.

Léger, Oskar disposa le tout face à la courette où vivait le soleil, avec vue sur les plantes qu'il ne manquerait pas d'acheter. Toute la joie du monde l'envahit. Il avait tellement faim de recommencements, de la vie qui s'annonçait où, désormais, il ne serait plus ligoté dans un rôle d'homme rassurant. Un quotidien dénué de quotidien les attendait : une pièce imaginée en duo, improvisée sans cesse avec une authentique coauteur, diablement sexuée.

Soudain le temps se gâta. La lumière devint menaçante, d'un tremblé inquiétant, et le vent mauvais. Accès de maussaderie météorologique.

Roses était en retard.

Oskar se cramponna au souvenir de la veille lorsqu'elle avait spontanément parlé de leur enfant à naître – Lila. Une telle envie de vivre l'avait alors soulevé ! La passion est ce moment où l'on se défait de soi-même, et où l'on se croit neuf.

Une pluie brève forma une bourrasque, sorte de minitornade qui drossa jusqu'au sol du sable arraché à l'Atlantique tout proche ; puis il y eut une déchirure dans la tempête. Le ciel bleu rôda enfin au-dessus de la cour.

Cela fit du bien à Oskar.

Il s'allongea sur leur lit à peine déballé et murmura avec une candeur réjouie :

— Notre lit, le nôtre... Le lit de Roses et Oskar. Le lit où nous ferons Lila, ma chérie, ma tendre chérie...

Mais Roses n'était toujours pas là.

Sa vie, soudain, était suspendue à son téléphone.

Curieusement, la veille au soir, elle n'avait répondu à aucun de ses SMS ou messages privés sur Twitter ou WhatsApp alors que leurs existences étaient désormais synchronisées via leur smartphone. Le dernier message, énigmatique, datait de la veille à dix-huit heures quarante-deux : « ça va aller. très dur ». Manquaient les majuscules, comme si Roses avait écrit ce SMS à la hâte.

Il pensa : comment imaginer qu'Antoine ne sente rien venir ou qu'il prenne avec calme et humour le cyclone qui va bientôt détruire son existence ? Cette vie auprès de Roses, à peine lui avait-elle été prêtée, comme un jouet trop beau donné à un enfant qui n'a rien, que le destin le lui arrachait. Nouvelle quasi létale. Nulle raison que les choses se passent bien à Saint-Sébastien-sur-Loire.

Mais Roses n'arrivait toujours pas.

Étendu sur leur lit, Oskar pensa à la chance qu'il avait d'avoir croisé cette femme, cet être quasi fictif par qui la théâtralité s'immisçait à chaque scène de son sort rénové.

Un optimisme immense le gagna.

Quand Roses posait sa main miraculeuse sur lui, elle levait aussitôt le tumulte, chacun de ses mots était un tremplin pour son imagination. Le sexe avec Roses n'était pas un simple exercice physique mais un voyage inattendu. Roses lui avait révélé le monde sacré du bonheur érotisé.

Mais Roses n'était toujours pas là.

Même s'il y aurait des difficultés, Oskar ne concevait plus d'être sans elle. Il préparait des discours de plus en plus forts pour l'accueillir, la fêter. Vibrant d'amour avec une intensité rare, il se sentait désormais invincible face au sort.

Puisque Roses ne pénétrait toujours pas chez eux, il sortit un papier plié de sa poche et y écrivit d'une traite une nouvelle scène de sa pièce en répétition ; ce texte mouvant qu'il ne cessait de rapetasser au gré de leur histoire. Le théâtre avait le pouvoir de le guérir de son inquiétude, de lui frayer un chemin d'espoir. Même s'il se vidait de lui-même en écrivant. Quand Humbert jetait ses mots sur la feuille, il ne se guindait pas, sa prose ou ses dialogues collaient à son authenticité.

Dans la pièce qu'il fomentait, Rosalie arrivait donc en retard... après avoir erré dans les boutiques de Nantes pour dénicher une robe de mariée qui fêtait sa chair jeune. Elle poussait la porte de leur domicile nimbée de tulle. Déjà sa femme, sa dernière femme. Il la contemplait. Sous ses regards bienveillants, elle fermait les yeux et laissait choir au sol sa robe nacrée pour apparaître nue. Plein soleil.

Mais dans le monde réel, le temps était sinistre.

Et Roses n'était toujours pas là.

Admettant son inquiétude, Oskar prit son téléphone et l'appela. Il tomba sur sa boîte vocale.

Il lui expédia un SMS qui, lui indiqua son appareil, ne fut pas distribué. Elle avait donc éteint son smartphone.

Il laissa aussitôt un message sur Skype, Twitter, WhatsApp, Telegram et Signal. Les secondes s'écoulaient comme du sang d'une plaie. Un message l'alerta que les artères numériques qui les reliaient avaient été sectionnées.

Chaque minute emportait une chance de la voir réapparaître et quelque chose de la joie d'Oskar. Jamais il n'avait à ce point manqué d'appui. Le silence gagnait du terrain. Son salut dépendait d'un visage.

Roses s'était volatilisée, dut-il enfin constater. Sans l'avertir.

Ce silence radio était à présent un coup de tonnerre. Ah, comme il regrettait soudain d'avoir livré son cœur à tant d'amour ! Quelque chose d'amer et de fade remonta aux lèvres serrées d'amertume d'Humbert.

Les fonctions de la vie finirent par se ralentir en lui.

Plus de salive.

Immobile sur leur lit, Humbert était semblable à un voilier encalminé, à un dimanche de pluie. Que s'était-il donc produit ? Avec

Roses, tout pouvait survenir. Avait-elle suivi un homme rencontré dans une gare ?

Recouvrant ses esprits et abrégeant sa panique, Oskar éprouva alors cette détente forte que seuls permettent les désastres.

Quoi qu'il fût advenu, il ferait face.

Au diable les facilités de la mélancolie. Il se passait nécessairement quelque chose d'imprévisible ; comme toujours avec sa Roses. Pas question de la laisser dans son petit monde nantais rempli d'alcools et de drogues légales prescrites par la médecine pour pacifier les familles toxiques.

Il la ramènerait au plus vite à Paris et l'arracherait à la comédie dangereuse de ses humeurs et à cet Antoine qui acceptait que sa compagne vivotât, dans une demi-vie si étrangère à son naturel vaste. Anne ou pas Anne. Ce serait la revanche de sa foi en Roses. La vie n'est au-dessous de nos attentes que si l'on vise bas, songea-t-il. Elle n'était pas venue aujourd'hui ? Qu'importe ! Oskar saurait bien la sauver des siens et arranger leur destin commun si peu ordinaire.

Cet imbécile amoureux s'admirait d'être convaincu de son courage. Sa vanité pensait qu'il allait réussir, il s'exaltait d'aimer avec une pareille volonté. Hélas, il ne comprenait rien à rien à Roses, ni à l'insondable de ses désordres.

Oskar ne connaissait la folie que par les

comédies légères qu'il avait écrites. De la marmite de la grande souffrance, il ignorait tout.

SCÈNES 48, 48 bis et ter
(dans les rues de Paris, sur la scène
du théâtre d'Oskar. Lumière ardoisée.
Décors de la mélancolie)

Le silence.
Le mur infranchissable du silence.
Rien de plus puissant pour placer un homme dans la dépendance d'une femme, fût-elle impraticable.
Il repensa aux premiers tweets de Roses qu'il avait lus :
Un amour fou est fait pour s'absenter de la vie et l'aimer davantage.
Sauf l'amour fou, tout est imaginaire
En amour, je suis toujours prête au martyre, mais je préférerais remettre ça à plus tard...
Je veux être une accélération de la vie...
Jamais Roses n'avait autant occupé sa vie qu'en s'évanouissant.
Dans la griffe du manque, Oskar se torturait à chaque seconde de refouler ses inquiétudes.
À partir de là, il fit tout avec un fond d'amertume. Oskar enrageait de posséder un tel amour et d'être si démuni face à son mutisme.

Les heures qui avaient commencé d'attacher leurs cœurs ne pouvaient pas s'arrêter ainsi.

Au théâtre, les répétitions le mobilisèrent sans joie.

Voir Nathalie, le double fictif de Roses, évoluer sur les planches et prononcer les mots qu'elle avait proférés à Londres ou ailleurs le crucifiait. Rémanence d'une période solaire qui s'interrompait net, sans aucune explication. Le théâtre ne l'électrisait plus. Les improvisations d'Hector et de Ninon l'agaçaient.

Son angoisse se nourrissait de ce qu'il savait que leurs âmes étaient synchrones et vouées à se combler. Son malaise l'informait assez de ce que Roses devait nécessairement éprouver.

Il n'était pas concevable, si elle était revenue dans la vie minuscule d'Antoine, que son choix fût volontaire. Sa folie de l'indépendance se mêlait certes à un goût pour la soumission qu'elle pensait mériter, mais la rupture inopinée avec Oskar ne pouvait s'accomplir par le silence. Il n'était pas non plus possible qu'elle se fût détachée complètement d'Humbert dans un délai aussi bref. Même si les tête-à-queue demeuraient sa grande spécialité.

Un jour, deux jours, trois jours… sept jours. L'horreur.

Sans celle avec qui il s'était, pour la première fois, senti entièrement lui-même ; ce qui est une amputation.

Oskar s'agitait en tous sens, courait pour égarer son chagrin.

Roses était sa fixation.

Il n'était plus qu'un écho de lui-même.

Pourquoi s'armait-elle à ce point contre lui ?

La fantaisie dont il faisait si bien parade l'avait quitté. À l'intérieur de l'écrivain devenu lugubre, il ne restait même plus un ricaneur. L'auteur par qui la joie arrivait toujours s'éteignait chaque heure davantage. Oskar trouvait dans son malheur comme une vengeance de tout le bonheur qu'il avait eu par Roses.

Jusqu'à présent, même leurs ruptures avaient été ponctuées d'événements qui semblaient les avertir qu'ils étaient destinés à s'aimer, que la séparation les reliait.

Mais là, rien.

Pas le plus petit fait ne les jointurait, sinon leurs pensées ; car il n'était pas possible que celles de Roses Violente se fussent soudain tant éloignées des siennes, que l'oubli eût déjà creusé entre eux le fossé de l'indifférence.

Tout manquait à Oskar :

— la voix enfantine de Roses qui dans l'émotion se brisait d'une manière touchante,

— ses petits coups de langue appliqués sur

les moindres parties de son corps, bichonne-
ries virtuoses qui l'avaient rendu heureux
d'être homme,

— son esprit étendu alors même que
Roses s'imaginait dépourvue de la moindre
jugeote,

— qu'elle le boive avec frénésie,

— la fluidité de ses robes légères à corolle,

— les phosphorescences de son regard,

— le moment où elle lui avait soufflé « Je
veux être votre dernière femme »,

— ses incohérences odieuses,

— ses engouements pour les chiens rencontrés dans la rue,

— leur érotisme gonflé d'imaginaire et
sa passion des miroirs dans ces heures-là
d'évasion,

— sa manie de faire des selfies pour s'assurer ensuite de la réalité de leur histoire,

— qu'elle adore fasciner ses victimes avant
de les zigouiller,

— sa capacité déroutante à converser à
brûle-pourpoint avec un SDF pendant une
heure,

— qu'elle préférât, par coquetterie, conduire
sans lunettes alors que, myope, elle ne voyait
rien,

— que son inspiration érotique ne fût
jamais intimidée par la pudeur,

— ses seins hauts,

— son talent pour se dévaloriser quand tant de débiles se guindent d'orgueil,

— sa gaieté lorsqu'elle chantait à tue-tête avec sa fille et qu'elles s'abandonnaient ensemble à la plus légère des légèretés.

Aux yeux d'Oskar, la manière d'être de cette femme la plaçait hors de l'appréciation ordinaire.

Elle seule pourrait à l'avenir rallumer son imagination.

Ses défauts valaient tout l'or du monde. Oskar assignait de la grandeur aux petitesses de Roses et prêtait de l'éclat à ses failles ; sans doute est-ce cela l'amour.

Son désarroi venait de ce qu'il lui semblait qu'elle et lui n'avaient encore rien dit ni rien fait qui ne fût demeuré en deçà de leurs ambitions sentimentales. Il y avait encore tant d'irréalisé dans leur liberté à peine essayée. Leur talent conjoint d'invention du réel était si puissant ! Tant de foudre sexuelle les attendait encore, cette foudre qui déverrouille certaines parties de soi qui, sans une part de violences, resteraient inconnues. Est-ce qu'une fois de plus la passion, impuissante à construire, montrerait comment elle s'entend à déchiqueter l'âme par le vide dévorant que laisse son arrêt ?

Triste, Oskar faisait corps avec son amour.

Comme lui, il était ombrageux et secoué par des sautes d'enthousiasme dès qu'une lueur d'espoir surgissait en lui. Il passait du chagrin à l'optimisme le plus inconsidéré. Une joie folle le possédait alors. Il imaginait des embûches, des complots ourdis par Antoine, cet homme qu'il avait deviné procédurier dans les postures difficiles. Oskar ne pouvait pas continuer à être loin du tourment de cette femme.

Anne le voyait bien.

Au lever, au petit déjeuner, il était absent, ou dans leurs retrouvailles qu'il feignait d'apprécier. Alors qu'il avait habitué sa muse à être fêtée, applaudie et désirée.

Le soir, Oskar ne faisait même plus semblant de quitter leur chambre d'ami pour venir la rejoindre en faisant craquer le parquet, ce qu'il faisait auparavant. Il s'endormait.

D'évidence, son Oskar – anormalement sérieux – lui échappait.

Une rivale dont elle ignorait tout s'était forcément introduite dans la tête de son mari. Ce niais avait dû être assez crédule ou peu exigeant pour céder à la seule curiosité sensuelle et au désir primaire, songea-t-elle, visitée par l'angoisse. Son penchant pour l'intrigue avait dû faire le reste. Cette amoureuse-née, formée par les grands personnages du répertoire qu'elle avait incarnés, commença alors à méditer une riposte.

Sur toutes les photographies dont Oskar disposait – Roses lui avait envoyé bon nombre de leurs selfies, qu'il ne cessait de regarder pendant les répétitions – Mlle Violente était bien l'image du supplice d'Oskar : cette beauté désormais interdite. Derrière les paroles de rejet, souvent amères, que Roses avait pu lui adresser, il n'avait pu se retenir de voir une âme qui s'élançait constamment vers lui. Comme si elle avait craint de lui infliger ses désordres incessants et son morcellement dangereux.

Roses représentait la passion sans demi-mesures, acide et brutale, qu'il avait toujours espérée.

Avant elle, bien qu'il ait eu sa part de vertiges, il n'avait jamais connu, avec les femmes, qu'une honnête mesure. Roses allait toujours plus loin. Comment continuer à respirer sans l'inspiration qu'elle lui avait insufflée ? Comment vivre à présent sans basculer chaque jour dans l'imprévu ? Devrait-il se contenter d'une sexualité prudente, ordonnée, douce et tronquée ? Resterait-il à jamais hanté par la succulence de sa chair ?

SCÈNE 49
(terrasse d'un café parisien peuplée d'élégantes,
passage piéton qui respire le haut luxe,
on s'y sent loin du réel)

Anne invita à nouveau Ninon Folenfant dans le café où elles avaient coutume d'aller pour se confier l'une à l'autre.

— Ton personnage... elle évolue comment dans la pièce ?

— Elle fait affreusement souffrir le personnage d'Oskar.

— Comment Rosalie s'y prend-elle ?

— En comblant l'imagination d'Oskar...

— Ah...

— Puis en disparaissant soudain. *On* elle donne, *off* elle reprend, *on, off...*

— Veux-tu connaître la fin de la pièce ? coupa Anne.

— Elle n'est pas écrite.

— Normal.

— Pourquoi ?

— Parce que JE vais l'écrire... déclara Anne.

Ninon tendit l'oreille. Elle savait depuis toujours que lorsqu'elle était lancée, son amie n'avait pas peur des obstacles.

— Le personnage de Nathalie... celle qui me représente. Elle est toujours comédienne ?

— Oui.

— Elle va duper la dupeuse.

— Comment ?

— L'épouse va se risquer, créer des situations folles où se réfugieront les rêves d'Oskar.

— Lesquelles ?

— Je vais me conduire en comédienne capable de… tout jouer.

— Tout ?

— Jusqu'à lui dévorer le cœur.

— D'elle ou de lui ? Fais attention.

— Attention ?

— Te rends-tu compte du pouvoir de cette fille ? Sa dinguerie dérègle tout le monde.

— Je serai plus forte qu'elle. Rassure-toi, si j'ai un cœur qui bat, j'ai aussi une tête qui pense.

— Ne te décroche pas de toi, Anne. Le pays du tout est possible n'est pas le tien.

— Quoi de plus intéressant qu'un personnage qui se découvre autre ? Qui change de peau, de masque ?

— Tu aimes Oskar à ce point ?

— Je lui ai offert ce que j'étais, naïvement, sans aucun jeu… et il n'en a pas voulu…

— Prends garde à toi. Rosalie est, à sa façon, un peu toquée… en tout cas elle héberge une fêlure.

— On ne peut qu'aimer follement une folle.

— Elle ne l'est pas.

— Si, c'est ça qu'il aime, mon Oskar : sa folie. Je le sens.

— Non ! Il prend juste les fièvres de l'âme pour sa vérité, l'ivresse pour une puissance et son petit écart pour la liberté. Je t'en supplie, Anne, ne va pas trop loin. Ou retire-toi.

— Dans un mariage, les séismes ne sont pas le signe qu'il faut clore l'aventure mais bien qu'il est passionnant de la poursuivre... répliqua Anne.

— Qui te dit que cette traversée est encore possible ?

— Je ne vais pas rester une vie entière à n'oser que des choses à la mesure de ce que je peux.

— Ne te perds pas. Lutter contre Rosalie, c'est lutter contre un être changeant. Cette kamikaze ne se meut que dans le précaire.

— Je l'ai compris...

— Oskar a trouvé chez elle une garantie.

— De quoi ?

— D'instabilité féconde et excitante. Elle lui fait vivre des jours coupés de peu de haltes et de trêves. Elle le brûle constamment, le jette dans un monde où... tout est possible.

— Eh bien... tout sera permis ! sourit Anne, disposée à jouer davantage que le rôle de sa vie : sa véritable tête, pas celle d'un personnage.

SCÈNE 50
(terrasse brûlée de soleil d'un café
populaire parisien, à Belleville)

Pour survivre à sa peine, Oskar eut l'idée triste d'aller jouir ailleurs, vite et de nombreuses fois, comme on creuse un canal de dérivation. Pour sauver un cœur, ne réalise-t-on pas en urgence des doubles ou triples pontages ?

Oskar sortait de son sillon.

Il téléchargea l'application pour smartphone très en vogue Tinder, ce réseau où se déversent des armées de corps en mal d'étreintes, et autant d'âmes rongées par la solitude. On s'y accouple d'un clic, à l'improviste. On vient y tromper son esseulement en géolocalisant le manque des autres. La libido y devient affaire de périmètre plus que de séduction.

Du bout du doigt, à la terrasse d'un café, Oskar créa sur l'application un profil anonyme. Sur sa lancée, il zappa des dizaines de photographies d'anatomies avantageuses qui croisaient dans les parages – jusqu'à s'en dégoûter.

Puis l'envie de mourir le visita, s'éloigna, revint plus sévèrement encore, le mordit. Ne le lâcha plus.

Oskar ne parvenait plus à faire taire son angoisse.

Il n'avait plus de combustible en lui pour relancer le moteur.

Piégé par ses souvenirs, il songea : si je réchappe de ce chagrin-là, je deviendrai un égoïste. La vie des autres, et des femmes surtout, ne me concernera plus. J'aurai trop souffert pour conserver un cœur vivant. Ne séjourneront plus dans mon lit que des ombres de l'amour.

Il était inconcevable pour Oskar de poursuivre sa vie sans Roses et ses fantasmes. Comment se désensorceler de cette trop jeune femme ?

Elle s'était installée en lui.

L'amour fièvre a ceci de terrible qu'il détruit toutes les conventions qui maintiennent l'existence à une température moyenne. Roses avait été pour Oskar sa plus belle façon de rencontrer l'inouï. En l'aimant, il avait signé un contrat avec lui-même qu'il s'était figuré irrésiliable. Il ne pouvait plus faire un mouvement dont elle ne soit le but. C'était aussi simple que ça.

Sur Tinder, Oskar aperçut un visage qui ressemblait à celui qu'il aimait. Poupin, solaire, café au lait, trop maquillé. Il éclata en sanglots, comme un enfant.

Pas une seconde il ne s'aperçut que cette photo... était bien celle de Roses Violence.

SCÈNE 51
(chambre endormie d'Oskar et Anne,
puis salle de bains éclairée d'une lumière dure)

Un soir, tandis qu'Anne dormait, Oskar alla fouiller, comme un dément, dans leur armoire à pharmacie pour en ressortir la boîte d'un puissant somnifère, assez concentré pour torpiller un bœuf.

L'écrivain se sentait consumé, vidé de l'intérieur.

Il n'était plus l'animal heureux qu'il avait su être, si agile à éviter les complications ou à déjouer les chagrins. L'envie de parler à Roses lui venait trop dans l'esprit. Hagard, Oskar était à bout. Comment attendre encore ce que le hasard, le temps et l'inclination qu'elle avait pour lui, iraient faire en sa faveur ?

Tel un somnambule, il versa alors tous les cachets dans sa main gauche tandis que l'autre saisissait sans crainte un verre d'eau. Lui, l'incarnation même de la joie de vivre, allait déserter son existence. Oskar ne pouvait plus osciller entre la morne angoisse et la jactance vaine. Ah les drames qui se jouent dans le cœur de ceux que l'on dit légers...

Le téléphone sonna.

C'était Roses.

Il répondit.

L'effarantissime s'était produit.

SCÈNE 52
(salle de bains d'Oskar et Anne et jardin
de l'hôpital psychiatrique de Nantes.
Nuit de plomb, sans astres)

— Je suis dans un HP... lâcha-t-elle.

— HP ? répliqua Oskar sans bien comprendre.

Roses était de ces êtres dont les rebonds fatiguent Dieu.

Elle se trouvait réellement internée dans l'hôpital psychiatrique de Nantes. Oskar eut quelque difficulté à admettre que, dans la comédie de leur histoire, une scène aussi énigmatique fût possible. Certes, il savait qu'Antoine avait déjà fait pression sur Roses pour qu'elle consentît à « se reposer » ; mais pas une seconde il ne s'était imaginé un tel passage à l'acte. Rien de ce qu'il avait perçu de Roses ne pouvait justifier un tel événement.

Avec Roses, l'impossible avait vraiment droit de cité.

Son existence mêlerait toujours la comédie légère et la tragédie, en passant par le théâtre russe ou les ballets aériens de Broadway. Tout le répertoire scénique entrait dans sa vie, sur un rythme fou. Quelle cadence ! Peut-être était-ce pour cela qu'Oskar l'aimait tant.

— Que s'est-il passé, ma chérie ? balbutia-t-il.

— On m'a retiré mon téléphone portable, c'est le protocole ici.

À l'insu des infirmières, Roses était parvenue à récupérer celui d'un codétenu pour joindre Oskar, son seul recours. Les doses de sédatifs administrées aux pensionnaires étaient si massives que son élocution se trouvait ralentie.

— Que s'est-il passé ? répéta Oskar ébranlé.

— Antoine a deviné que j'aimais quelqu'un.

— Moi ?

— Non, il est jaloux d'un collègue. Mais il était comme fou. Autre, différent.

— Et ?

— Soirée irréelle… J'avais un peu bu, deux verres. Vraiment rien. Mon père, ma mère et Antoine m'ont accusée d'avoir trop picolé, ce n'était pas vrai. Ils ont fait venir un médecin à la maison pour… me faire interner.

— Interner ?

Oskar toussa. Roses délirait-elle ? se demanda-t-il sans inquiétude car Oskar avait toujours associé l'amour et la folie. Mais dans quelle galère médicamenteuse s'était-il embarqué ?

Et puis… se demanda-t-il soudain, pourquoi s'attacher à une fille avec qui, d'évidence, il était risqué d'être heureux ? Mais le bonheur concevable auprès d'Anne – sans ruades ni épisodes kamikazes – l'intéressait-il encore ? Le désordre ne reste-t-il pas la patrie des âmes affranchies ? N'avait-il pas basculé du côté de celles et ceux pour qui ne comptent que l'excès salvateur et le péril qu'on sollicite avec joie ?

L'amour fou, réellement fou, le fit pencher en faveur de Roses.

Dans sa course vers l'abîme, rien ne retiendrait Oskar.

À jamais, il croirait Roses et lui serait loyal ; à jamais il se défierait des âmes normales qui lui chercheraient querelle ; à jamais il l'aimerait sans condition.

Sa Roses ne pouvait en aucun cas être plus atteinte que lui.

D'ailleurs, s'il le fallait il deviendrait fou pour la rejoindre.

— Pourquoi ne m'as-tu pas appelé tout de suite ?

— Je te l'ai dit, ils m'ont retiré mon portable. Le médecin a refusé. Ils m'ont fait du chantage, harcelée. Si je ne signais pas pour accepter mon internement, ils se seraient tous ligués contre moi...

— Qui, tous ?

— Mes parents et Antoine, pour me retirer la garde de Clémence.

— C'est confus tout ça...

— Ils m'ont montré les lettres de témoignage qu'ils avaient déjà préparées pour le tribunal si je n'obéissais pas. Insensé. Ma propre famille m'a menacée. Je veux garder Clémence, ma petite Clémence, sanglota-t-elle au bout de la ligne.

Oskar frémit, imagina les figures de cette famille hargneuse à la fois insensée et éprise de bon ordre. Il se représenta les décombres parmi lesquels Roses se trouvait soudain, les ruines de son monde et de ses plus tendres liens familiaux.

— Tu es internée volontaire ou sous contrainte ?

— C'était horrible. Ici aussi, affreux. Maltraitance partout. Me gavent de médocs, je refuse, m'obligent, pression du personnel, veulent la paix... m'enfoncent à donf. Je n'ai rien emporté, pas de linge.

— Tu peux sortir ?

— Je dois raccrocher... les infirmières arrivent. Je n'ai que toi Oskar, que toi.

À bout de tout, Roses raccrocha.

Oskar n'était pas dans un état plus tranquille.

Alarmé, il ne songeait déjà plus à se suicider.

Quelle excitation que d'être sauveur !

Quel honneur de vouloir sauver une femme d'elle-même.

Cet appel semblait irréel mais il savait qu'il avait bien eu lieu. Il venait bien d'entendre Roses dans un état de choc avancé.

Amoureux, mais encore apte à discerner la haute démence, Oskar ne songea pas une seconde que le morcellement de Roses pouvait justifier son internement. D'emblée, il songea que sa famille et son mari, le si toxique

Antoine, avaient dû se liguer contre elle pour lui faire jouer le rôle de « la folle » – ce qu'elle ne serait jamais. Puisque ces entichés de respectabilité ne pouvaient pas obtenir sa docilité, les blouses blanches s'en chargeraient. Telle fut son analyse.

Mais Oskar s'était-il avancé dans cette histoire pour assumer pareil dérèglement ? Devait-il accepter que cette comédie qui virait au chaos continuât de le concerner ?

Sa passion seule lui dicta sa conduite.

Oskar n'avait pas épuisé toutes ses ressources avec Roses.

Il appela aussitôt son assistante, la débrouillarde Bérénice. Ensommeillée, elle répondit.

— Allô ?

— C'est Oskar.

— Il est une heure du matin.

— Je sais mais j'ai besoin de toi. J'aime une femme, celle d'un autre, pas encore la mienne.

Oskar lui avoua tout, sans rien omettre, puis il pria Bérénice de filer à Nantes éclaircir la situation. Il ne pouvait pas s'y rendre dès cette nuit sans alerter Anne ; et que lui aurait-il dit ? Qu'il aimait d'un amour fou, au risque de faire éclater leur mariage, une femme internée de vingt-cinq ans qui, de surcroît, ne voulait pas de lui ? Était-ce seulement crédible ?

Mais un point essentiel devait être éclairci

aux yeux d'Oskar, et sans délai : Roses Violente était-elle ou non libre d'aller et venir dans cet hôpital ?

Soufflée, Bérénice comprit alors que la pièce qu'ils répétaient et rectifiaient sans cesse depuis des semaines était bien l'écho fidèle de ce que Humbert avait la liberté et le courage de vivre. Elle ne le jugeait pas. Aux yeux de son assistante, le désir de se lier et celui d'échapper à tout lien étaient d'égale dignité.

Ébranlé et ne sachant que faire, Oskar retourna se coucher.

— Que se passe-t-il, mon amour ? murmura Anne dans un demi-sommeil.

— Rien... Tout va bien. Rendors-toi...

SCÈNE 53
(bureau d'Oskar, au petit matin)

Installé dans sa baignoire à pattes de lion, hagard, Oskar s'était mis à réécrire sa pièce, à la modifier en profondeur avec tout le tranchant que requéraient les événements. Comment ses comédiens allaient-ils réagir lors de la reprise des répétitions ? Quel tohu-bohu dans le texte !

Peu lui importait, l'irruption du drame en

pleine comédie le grisait. Jamais il n'avait encore osé mêler deux ingrédients aussi opposés : la légèreté et la psychiatrie. Son public, accoutumé à rire de tout, aimerait-il une pièce commençant joyeusement mais chutant brutalement dans la tragédie pour révéler l'envers obscur des protagonistes ?

D'évidence, le paisible personnage d'Antoine n'avait jamais eu dans les veines un seul globule de bonté. L'ami de Tacite n'était demeuré gentil qu'autant que Roses était restée sa chose, qu'autant qu'elle l'avait satisfait en lui obéissant. Le chantage qu'il lui faisait en la menaçant de lui retirer la garde de Clémence n'avait rien de surprenant. Pour normal qu'il puisse paraître, Antoine était un homme sans grandeur qui, sous la plume d'Oskar, devenait extraordinaire. Les ridicules fumées de ses prétentions culturelles cachaient un barbare méthodique, un ingénieur du sordide. Dans sa souffrance, ce sournois n'avait reculé devant rien. Avec lui, sous ses dehors onctueux de lettré, le pire pouvait proliférer.

Écrire permettait à Oskar de se délivrer de l'anxiété qui le minait. Son style avait de l'accent corrosif, de la sûreté, des détours heureux et le passage où l'on découvrait la noirceur d'Antoine constituait un portrait réussi – un morceau de bravoure !

Bérénice le rappela à neuf heures.

— Que se passe-t-il ?

— À l'hôpital, je me suis fait passer pour quelqu'un de la famille. Il y avait des fous qui hurlaient à plein gosier, d'autres qui titubaient sous les effets du Valium.

— Tu l'as vue ?

— On m'a juste dit qu'elle était internée volontaire. Roses a signé elle-même son formulaire d'internement.

— Elle-même ? s'exclama-t-il abasourdi.

— Oui.

— Tu en penses quoi ? balbutia Oskar.

— Maintenant qu'elle a un dossier psychiatrique, aucun juge ne laissera à Roses la garde de sa fille. Son mari la tient.

— C'était donc ça...

— Elle vient de mettre le pied dans le tunnel des expertises de la santé mentale. Nos actes nous suivent...

— Il faut qu'elle sorte de là au plus vite ! Vite ! Chaque minute la décrédibilisera devant un juge. Tu peux lui parler ?

— Non, personne ne peut la voir.

— Peux-tu t'assurer qu'elle obtienne tout ce dont elle a besoin ? Du linge frais, un oreiller doux, une serviette moelleuse...

D'emblée, Antoine était devenu le premier homme qu'Oskar eût sérieusement haï, et dont il eût voulu la décapitation comme une mesure de salubrité sentimentale. Comment cet indigne avait-il pu faire cela à la mère de son enfant ? Et dans des conditions pareilles ! Roses n'avait même pas de linge. Peu lui importait de savoir si Antoine avait souffert ou non. Il figurait tout ce qu'Oskar vomissait : la manipulation, la froideur dans le calcul et la méticulosité la plus cynique. Car à quoi bon garder une femme si on n'ouvre son cœur qu'à force de manœuvres viles ? Et en se servant des failles de celle-ci pour la ramener dans la cage de leur couple...

Retors, doué d'une habileté tordue pour jouer sur les culpabilités de Roses – son besoin de voir Clémence pouvait lui faire faire n'importe quoi – il venait de mettre à l'encan tout ce qui, dans l'amour, est beau et ingénu. Leur passion croulante entrait dans les jeux biaisés du droit.

Inconséquente, Roses n'avait pas vu la stratégie oblique de cet homme blessé et avait signé le document qui l'avait mise « au repos » en ce lieu terrible sans soupçonner dans quel traquenard elle venait de se jeter.

(hall de l'hôpital psychiatrique de Nantes,
puis chambre blanche. On entend des cris
dans les salles attenantes)

En achetant un infirmier vénal – un bobi-nard à la voix grasseyante –, Bérénice fit passer à Roses une lettre d'Oskar qui lui enjoignait, dans l'intérêt de Clémence qui avait besoin d'une mère, de quitter sans délai l'hôpital, quoi qu'aient pu proférer comme menaces ses parents et Antoine, ligués pour la soumettre. Cette décision ne relevait que d'elle.

Humbert l'y exhortait également à rejoindre aussitôt l'appartement qu'ils avaient loué à Nantes, domicile à son nom qui lui permet-trait d'obtenir dans les meilleurs délais la garde de sa fille. Plus dévoré que jamais par sa passion, Oskar se faisait fort de lui déni-cher un avocat compétent.

« Je suis là, ma chérie, concluait-il. Ton Oskar. »

Roses reçut le courrier dans un demi-sommeil, assommée sur un lit d'hôpital au matelas plas-tifié.

Elle eut la plus grande peine à le lire ; ce qui fut rapporté scrupuleusement à Bérénice, puis à Oskar, par l'infirmier cupide. L'extra-ordinaire dose de neuroleptiques qu'on lui avait administrée de force – et selon un protocole intangible – ne lui permettait même plus d'articuler nettement. Son phrasé mou était à peine intelligible, son regard halluciné et son attention vacillante. L'institution avait commencé de la chosifier avec professionnalisme, et à transformer son morcellement intermittent en émiettement permanent.

Roses était perdue.

SCÈNE 55
(bureau d'Oskar)

Le lendemain, au sortir de sa répétition, Oskar reçut un appel :

— C'est Roses, je suis chez nous, à Nantes. J'ai quitté l'hosto.

— Dans l'appartement ?

— Sur notre fauteuil.

— Mon amour...

— J'ai besoin de voir Clémence... souffla-t-elle en éclatant en sanglots. Besoin... Besoin !

— Où se trouve-t-elle ?

— À Saint-Sébastien-sur-Loire, avec son père.

— Va la chercher.

— Antoine la garde. Il m'interdit de la voir sans lui.

— Que lui as-tu répondu ?

— Que c'était terminé.

— Antoine est prêt à t'aider pour Clémence ?

— Il m'a dit que si je ne revenais pas, je n'aurais jamais un centime.

— Je vais te trouver un avocat, et te vire des sous. Je suis là, pour toi et Clémence. Et un jour il y aura Lila…

— Suis encore pleine de Valium.

— J'arrive dès que je peux.

Roses et Oskar parlèrent encore longtemps au téléphone, avec cette effusion qui accompagne les moments de grand dérèglement.

Mais pour la première fois, Humbert s'interrogea.

Que voulait-il ? Offrir à Roses les aises de son désordre intime, et lui permettre d'évoluer sans fin dans le chaos de ses contradictions ? Vivre effectivement avec elle et lui faire bientôt un enfant ? Être dopé par sa nature libre qui faisait écho à la sienne ?

Personne n'avait jamais eu autant envie que lui de partager le quotidien d'une femme et, devant la possibilité de le vivre réellement, éprouvé autant d'excitation et de doute à la fois.

Désirer une vie avec Roses enchantait Oskar. Pour ce dramaturge, cette histoire était avant tout du théâtre, avec ses scènes improvisées dont il gavait son imagination et qui nourrissaient sa pièce. Mais fallait-il pour autant la vivre en réalité, convertir ces frissons en tâches quotidiennes, en notes de gaz, en courses à faire, en démarches pour inscrire Clémence à la crèche ?

Froidement, Oskar se dédoubla et se dit alors avec sang-froid : je vais continuer à jouer cette pièce avec Roses mais sans lui laisser complètement mon cœur, pour me préserver. Je dois me garder de livrer la totalité de mon être à une femme aussi fissurée d'incohérences.

Assis dans son bureau, tandis qu'Anne lui servait une excellente tisane, Oskar s'amusa à envoyer un SMS haletant à Roses :

— Je ne peux pas venir tout de suite. Suis en état de choc. Je viens de trouver Anne dans notre lit avec quelqu'un d'autre.

— C'était prévisible, répliqua aussitôt Roses par SMS.

— Non.

— Si.

— Elle était avec son psychanalyste.

C'était bien entendu faux. Pour capter l'intérêt de Roses, Oskar inventait des scènes sans retenue, comme il le faisait dans ses pièces.

— Quoi ? fit-elle.

Oskar poursuivit, imperturbable :

— Nous sommes synchrones, ma chérie : ta vie bascule dans l'impensable, la mienne également. Au même moment ! Nous sommes les mêmes.

— Les mêmes, répéta-t-elle par écrit.

C'était du mauvais théâtre, une pièce partiellement inspirée du réel et écrite à quatre mains dont Roses et Oskar étaient à la fois les auteurs, les acteurs essoufflés et les spectateurs ! Cette triple position autorisait Humbert à conserver ce minimum de distance qui permet de s'aventurer dans la folie en conservant un canot de sauvetage, croyait-il.

SCÈNE 56
(scène du théâtre d'Oskar,
la répétition bat son plein)

Deux jours plus tard, Oskar n'était toujours pas revenu à Nantes.

Les répétitions finales de sa pièce l'accaparaient.

Il reçut alors un SMS de Roses auquel il ne crut d'abord pas :

— Je dois t'avouer quelque chose... Un ami est venu m'aider à monter les meubles. Il était à l'hôpital avec moi et est sorti le même jour, contre avis médical aussi. Il est resté dormir avec moi. Nous sommes dans des situations comparables. Période de sevrage. On se soutient... Comprends-moi.

— Vous avez fait l'amour ?

— Il ne m'a pas forcée.

— Pardon ?

— Ce n'était pas prévu, répondit Roses. Je suis désolée, vraiment désolée. Ça m'a fait du bien.

Roses était déconcertante dans l'innocence qu'elle avait à blesser. Une meurtrière bienveillante. Avait-elle seulement conscience de sa violence ou subissait-elle les foudres de son inconscient ? Était-elle enferrée dans un égoïsme qu'elle ignorait ? Ou faisait-elle si peu cas de sa personne qu'elle pouvait se donner au premier venu, juste pour étancher un besoin momentané ? N'accédait-elle à son ciel que par la souillure ?

— Je ne te mérite pas, conclut-elle. Je t'avais prévenu.

Humbert se sentit mal sur la scène. Il glissa de tout son long. Qui était donc cet homme entré dans leur couple par l'escalier de service ?

Quand Oskar se réveilla sur la scène, dans le décor de la pièce qui figurait désormais l'appartement de Nantes, entouré par les comédiens blêmes et Bérénice qui venait d'appeler un médecin et de prévenir Anne partie chez son dentiste, il songea : qui suis-je ? Un idéaliste qui s'illusionne et refuse de voir qui est réellement Roses ? Un auteur égaré dans son imaginaire ? Un amant sans maîtresse voué à lui assurer un bonheur serein ? Un abstracteur perdu dans une histoire qui n'existe que par épisodes fugaces ou des volées de SMS ? Une somme de convulsions inutiles ?

En somme, cette misère qu'on appelle un écrivain.

Et puis cette chose ridicule qu'on nomme un grand amoureux.

Pas une seconde, Oskar ne se vit renoncer à la tendresse violente de Roses.

— Ça va mon chéri ? lui demanda Anne qui venait d'accourir.

— Non...

— La répétition est finie pour aujourd'hui ! clama Anne en renvoyant tout le monde en loges.

— La générale a lieu bientôt, et la pièce n'a toujours pas de titre... soupira Ninon en prenant une intonation de Roses qui acheva de briser le cœur d'Oskar.

— Si... « Les Nouveaux Amants ».

— Pourquoi nouveaux ? s'enquit Ninon.

— La modernité rend fou, fou, fou. Elle a ses délices mais elle fait de nous des êtres perdus. On essaye son cœur mais tout va trop vite. L'engrenage se détraque.

— C'est très beau... commenta Anne avec

tendresse. « Les Nouveaux Amants », c'est tout à fait nous... bientôt !

SCÈNE 57
(nulle part, Oskar est si habité
par sa souffrance qu'il ne perçoit plus
le monde réel)

Trois jours plus tard, Oskar reçut le coup de grâce de la manière la plus inattendue qui soit. Avec Roses, le destin courait au pas de charge. Enfiler les coups de théâtre était son métier. Un SMS acheva donc de lui faire perdre confiance dans la vie :

— Je reviens auprès d'Antoine, à Saint-Sébastien-sur-Loire. Je suis désolée.

Le bourreau s'excusait.

La cadence était trop folle, le coup trop sévère.

Dans son ébahissement, Humbert eut deux secondes de scepticisme ; puis il lui répondit :

— Tu plaisantes ?

— Clémence grandira avec ses deux parents. J'aime Antoine. Je n'ai jamais aimé que lui.

Elle répéta :

— Que lui.

Comment pouvait-elle se leurrer à ce point ?

Voulait-elle vérifier qu'Oskar pouvait l'aimer par-delà cet aveu ?

L'imprévu de cette nouvelle aurait désarçonné les esprits les mieux lestés de réalisme. Sonné, durci aussi par le dépit, Oskar toussa, s'accrocha à son bureau. Il eût fallu une tête étrangement solide pour mater un tel vertige.

Il hésita.

Devait-il nier l'événement, diminuer sa portée ou en rire ? Accepter séance tenante que l'amour ne peut pas être une guerre sans cadavre ? Se laisser gagner par une salvatrice rigolade ?

En cet instant, brûlé de douleur, il eût voulu être frappé par une amnésie foudroyante, se retrancher de tout. En ébullition, il finit par décrocher son téléphone pour tenter de se raccrocher au réel :

— Roses, Antoine vient de tenter de te faire enfermer dans une cage. Chez les mabouls.

— Nous avons beaucoup parlé.

— Et alors ?

— Il est sincèrement désolé, d'ailleurs il s'en veut beaucoup d'avoir montré tant d'insensibilité. Beaucoup.

— Je salue son geste mais...

— C'est moi qui l'y ai contraint...

— Quoi ?

— Tout ça est de ma faute.

— Roses, il vient de tenter de te faire coffrer dans un asile ! répéta Humbert abasourdi.

En te laissant à la rue sans un sou et en te menaçant de t'enlever ta fille.

— Je l'aime.

— Ton bourreau, celui qui était prêt à te priver de ta fille ? lâcha-t-il.

— Appelle-le comme tu voudras. Je manque de pitié pour moi-même.

Féroce et adorable, Roses comprenait qu'on le fût également avec elle sans y voir une monstruosité. Elle pouvait avoir envie de coucher avec des hommes d'une bassesse incroyable. Roses était de celles qui aiment pour de mauvaises raisons. Son cœur entrait dans l'amour par une porte inconnue d'Oskar.

— Tu m'as dit que tu ne supportais plus de coucher avec lui, ajouta-t-il au sommet de l'effarement.

— C'était une impression. N'utilise pas ça contre moi.

— Nous en étions à parler de Lila !

— Je suis désolée.

— Tu retournes dans la cage ?

— Ce n'était pas prévu. Pas prévu !

Roses lui expliqua avec une étrange exaltation qu'elle trouvait du plus haut romantisme que leur couple, incompris dès l'origine, puisse être capable de surmonter une crise pareille. L'âpreté d'Antoine l'y poussait. N'était-il pas de la plus haute beauté que l'Amour soit plus puissant que le qu'en-dira-t-on ? Le fait justement qu'aucune histoire ordinaire ne pourrait, normalement, guérir d'un épisode aussi violent, passer outre à cette trahison, semblait à Roses la preuve même de la vivacité de leur passion. Elle entendait aimer envers et contre tout. Et être victorieuse du pire !

Cela touchait au délire.

En vérité Roses dominait Antoine ; ce qui lui concédait un ascendant jouissif. Dans son monde, les gloires chétives de cet agrégé suffisaient à satisfaire sa vanité d'épouse. À jamais, elle craignait de se sentir illégitime dans celui d'Oskar.

Humbert cherchait un point pour fixer sa malheureuse boussole.

— Et puis... murmura Roses, j'ai besoin d'un garde-fou.

— Je commence à comprendre pourquoi...

— Oskar, tu ne me freines jamais, jamais... alors que j'en ai tellement besoin, lui reprocha-t-elle. Tu veux tout ce que je désire. Domine-moi. Tu avais raison de me le dire : nous ne sommes pas un couple.

— Pourquoi ? s'étonna Humbert.

— Un couple, ça finit un jour. Nous sommes un duo, Oskar.

— Mais enfin, Antoine s'est affreusement mal conduit.

— Oui.

— Mais alors…

— Pourquoi crois-tu que les femmes malheureuses restent ? Parce qu'elles sont amoureuses. Tout simplement !

— Que je suis bête d'avoir eu du cœur avec toi… au lieu de te maltraiter.

— Il est tellement désolé…

— Que fait-on de l'appartement ? De nos meubles…

— Ne t'inquiète pas, je vais tout revendre sur leboncoin.

Blessé et hagard, Oskar comprit alors qu'il ne maîtrisait plus rien. Passer de l'amour confiant au rejet le plus acide, et surtout le moins explicable, générait dans son âme un tel chaud-froid qu'aucune autre femme ne lui avait jamais semblé aussi désirable. L'aberration fascine, hameçonne. La cohérence, hélas, ne surprend pas le cœur.

Rongé de doutes, et tâchant de faire usage de son pauvre entendement, Oskar était plus que jamais attaché à Roses. Une femme qui suscite sans fin des supputations obsède et hante. Dès qu'il songeait à Roses, la fièvre du probable s'emparait de sa raison. Une flambée d'interprétations et d'hypothèses secouait son âme. Qui était donc Roses Violente ? Mais était-elle plus cinglée que lui de s'attacher à un homme aussi bas qu'Antoine, alors que lui l'aimait envers et contre tout ?

Le soir même, il adressa un SMS à sa Roses :

— Je t'aime.

Haïssant sa propre faiblesse, elle lui répondit sans fard :

— Suis bouleversée par ton amour, qu'il existe ENCORE.

— Je ne comprends pas.

— Je suis si touchée qu'on m'aime malgré ce que je suis et commets sans cesse.

— Tu es à jamais ma Roses.

— Je ne devrais pas te le dire, mais je t'aime.

— Moi aussi.

L'équivoque pouvait-elle s'éterniser ?

Roses fit mine de trancher :

— Ne m'envoie plus de message. Je t'en supplie. Je m'estime quitte avec notre amour, totalement indigne de nous et perdue pour la passion.

SCÈNE 58
(salle du théâtre d'Oskar, remplie de ce Tout-Paris qui fait et défait les réputations)

Le soir de la générale de sa pièce, « Les Nouveaux Amants », Oskar Humbert connut le plus vif et joyeux de ses triomphes d'auteur. Chaque éclat de rire de la salle où brillaient les talents de

Paris lui arracha le ventre. Après tant de répétitions d'un texte aussi instable, tant d'essais où l'improvisation sublimait le récit, Hector et Ninon gagnèrent leur sacre public.

Le parti qu'Oskar Humbert avait finalement pris de faire rire de sa tragédie augmentait toutefois son chagrin d'homme amoureux. Chaque réplique de Roses, fusant sur les lèvres de Ninon Folenfant, lui avait rendu sa Roses plus absente.

Anne, solaire à sa manière, accueillit les applaudissements pour son époux tout en le sentant absent. Pour la première fois, face aux comédiens qui jouaient sa tragédie avec frivolité, elle accepta d'entendre ce que criait sa pièce, et le désir qui la traversait. D'évidence, son Oskar l'avait écrite afin que la femme qui se cachait derrière Rosalie fût touchée un jour par son texte, avec l'espoir que l'art réussirait à la ramener vers lui.

En sortant de la salle, gavé de compliments, nauséeux et dissimulant mal à Anne la tristesse qui l'écorchait, Oskar reçut un SMS de Roses. Il tapa vite son code secret pour déverrouiller son smartphone – Anne le retint – et lut :

— Je ne le voulais pas, c'est Antoine qui a insisté. Samedi prochain nous venons voir ta pièce, comme chaque année.

Sonné, Oskar lut un autre SMS :

— C'est lui qui a voulu fêter ainsi

l'anniversaire de notre rencontre. Respecte-
nous, pour Clémence qui sera avec nous, gar-
dée à l'hôtel par une nounou. Nous sommes
une famille unie. Je t'en prie, ne sois pas là.

— La pièce te plaira, lui répondit-il.

— De quoi parle-t-elle ?

— De gens qui rompent tout le temps pour
s'aimer.

— C'est très triste ?

— Affreusement gai.

Anne vit bien qu'il ne pouvait pas se retenir de répondre aux SMS qu'il recevait. Elle
comprit, blêmit et s'accrocha à l'épaule de
Bérénice pour ne pas vaciller.

SCÈNE 59
(salle lumineuse du théâtre d'Oskar,
et coulisses obscures)

Le samedi suivant, Roses et Antoine parurent
au théâtre.

Elle éclatait de grande beauté et attirait, par
sa sensualité, tous les regards – masculins et
féminins – vers elle. La fêlure est toujours un
charme supplémentaire.

Antoine, lui, était raide, comme dégoûté de
venir consommer ici une littérature de boulevard. Le nonchalant vainqueur de Roses

304

affichait des yeux étroits, serrés comme des poings, et une mine chafouine. On lisait sur ses traits une inquiétude qui rendait son triomphe grinçant, ce quelque chose de caniche que Roses avait enfin obtenu de son bourreau.

Le soumettre, c'était étancher sa rancune.

Jamais elle ne lui pardonnerait son internement.

Le contrat de servilité entre eux était signé.

Après les crises traversées, elle régnait à présent. Le brave Antoine était à ses pieds, terrifié à l'idée d'être à nouveau quitté. D'évidence, le pauvre ne demandait rien de plus à la vie que de l'avoir toujours auprès de lui. Certes, Roses ne jubilait pas mais elle contrôlait encore l'intrigue.

En les apercevant tous deux dans la salle depuis les coulisses, caché derrière l'épais rideau rouge, Oskar fut saisi : ainsi, Antoine c'était donc ça, ce bonhomme à la lippe paresseuse et à l'œil mou ? Puis il fut happé par le gouffre d'hypothèses qui s'ouvrait devant lui. Roses l'avait-elle quitté par manque d'amour ou, au contraire, pour le protéger d'elle ? Souhaitait-elle le préserver de ses failles et de sa fièvre de domination qui la portait à se donner entièrement pour asservir absolument ? Tout en laissant à sa proie ce minimum de fierté qui permet à l'orgueil masculin d'être rémunéré.

Roses avait-elle désiré le décourager de vivre ? Ou voulait-elle vraiment gagner cette respectabilité de façade et se figer dans un rôle de mère exemplaire ?

Voulait-elle mourir de son vivant à Saint-Sébastien-sur-Loire ?

Avait-elle l'intention de ne plus lâcher la bride à sa sexualité complexe – affamée de scénarios nouveaux – que dans le cadre sécurisant du couple officiel ?

Connaît-on jamais le fond de son être ?

Dissimulé dans l'ombre, Oskar n'en finissait pas d'échafauder des suppositions. Comment vivre sans comprendre ? Ce fou tentait d'expliquer l'esprit de Roses, incompréhensible pour elle-même, à l'aide de sa raison.

À un moment, écartant le lourd rideau de velours du théâtre, il fixa la jeune femme. Elle l'aperçut aussitôt, sans qu'Antoine s'en fût rendu compte. L'eût-il remarqué qu'Antoine n'aurait pas pu interpréter l'événement avec justesse. Il demeurait jaloux d'un professeur de mathématiques.

La pièce pouvait commencer.

Scène après scène, Roses vit se reconstituer sous ses yeux le récit de l'histoire qu'elle venait de clore. D'évidence, Rosalie campait son rôle, Anne s'appelait Nathalie et Antoine apparaissait sous les traits d'un Casimir qui déclenchait l'hilarité du public.

Chaque épisode de la pièce réveillait le souvenir de ses initiatives, recyclait ses SMS et ravivait la beauté des heures impossibles qu'elle s'était accordées avec le dramaturge, mais dans un ordre différent qui obéissait aux nécessités d'une pièce de théâtre. Tout y était et tissait habilement la trame d'une comédie touchante et efficace d'une puissance de vérité que Humbert avait rarement approchée. Sa pièce sonnait juste : une somme de douleurs joyeuses.

Comme chaque spectateur, Antoine riait aux éclats sans savoir ce qui le mettait dans une telle allégresse, quoi qu'il ait pu penser des facilités du dialogue. Le personnage de Casimir, surtout, lui arrachait des fous rires. Sans doute ne pouvait-il pas accepter de regarder en face ce qui se jouait sous son nez. Comment admettre le regard intense posé par Oskar sur sa Rosalie ?

Mais Antoine ressentit tout de même un étrange picotement lorsque se joua sur la scène, en pleine lumière, l'échange nocturne des amants sur Skype alors que le mari dormait à l'étage. Cette situation horrifique, il l'avait bien connue avant de s'en protéger par le déni. Mais, pris dans l'hilarité générale, Antoine préféra se laissa porter, bien qu'il détestât toujours le professeur de mathématiques dont il avait été jaloux. N'avait-il pas, de toute façon, été victorieux du destin puisque Roses l'accompagnait ce soir-là pour fêter leur rencontre ?

Roses, elle, était la seule à ne pas rire.

D'évidence, Ninon Folenfant était, tableau après tableau, bien déguisée en elle. Même tournure, mêmes robes de coton tournoyantes et légères, mêmes coiffures incendiaires. Une version blanche d'elle-même s'épanouissait et virevoltait sur les planches. Si ce n'est sa couleur de peau, Rosalie lui ressemblait en tous points. Elle frissonnait de ses élans, pleurait de ses tourments, souffrait de son passé. Un détail la froissa cependant : qu'Oskar lui eût de temps en temps menti pour pimenter leur relation et la faire vibrer. Elle avait réellement cru qu'il souffrait dans le service d'urgences de l'hôpital Cochin !

Figée sur son siège, Roses devinait bien quelle profonde lettre d'amour Oskar lui adressait en signant cette comédie. La force des répliques, la sensibilité des saillies lui perçaient le cœur. Tout ce qu'elle n'avait pas voulu entendre de cet homme, son personnage l'écoutait à pleines oreilles. Comment avait-elle pu blesser à ce point une âme aussi aimante ? Flétrir ainsi la poésie d'un tel amant bienveillant ? Débiner sa bonté et congédier pareil romantisme de haute volée ?

Antoine ricanait à son côté alors que toute la salle brûlait pour le héros et que les cœurs alentour espéraient que, de rupture en rupture, ces deux-là se rejoindraient. Rosalie n'était-elle pas plus séduisante que Nathalie ?

— Hum… pardon… chuchota Roses à Antoine. Je disparais une minute, aux toilettes.

— Reviens vite… répondit-il à voix basse, enchanté par le spectacle.

Antoine-Casimir manifestait en cet instant une insouciance inhabituelle.

Roses se faufila dans les travées et parvint à sortir de la salle.

À peine eut-elle passé la porte qu'une main la happa et l'entraîna dans le clair-obscur des coulisses.

Sur scène se déroulait leur échappée onirique londonienne, dans ce palais victorien abandonné. Les acteurs jouaient ce moment particulier où Rosalie offre à son amant – et à elle-même – les plaisirs défendus d'une étreinte peu commune.

En coulisses, Oskar embrassa Roses.

Elle demeura interdite, flottant dans l'irréalité de cette nouvelle scène.

L'écrivain se sentait enfin désamarré de ses trouilles anciennes. Il se laissait aller au romantisme sucré auquel il s'était toujours refusé.

Sur scène, Rosalie lançait au héros :

— Aucune ne t'aimera comme je t'aimerai !

C'était vrai.

Aucune femme ne lui avait jamais ouvert avec autant d'innocence les portes des songes.

Glissement vers l'impossible, celui qui verse dans l'âme une forte liqueur. Milliardaire en folies, Roses agrandissait la pièce de théâtre.

En coulisses, Oskar et Roses se déshabillèrent.

Ils firent l'amour en miroir de ce qui se passait (ou était suggéré) sur les planches – mais à deux. Avec Roses, surgissait toujours de l'orage de sa liberté on ne savait quelle configuration miraculeuse des événements.

Leurs corps exultèrent.

Ces minutes volées, dans les coulisses, à leur vie officielle furent pour eux deux la plénitude de la vie. Parfois, une étreinte abolit le temps en révélant aux amants l'éternité de l'instant pur.

Du haut d'un escalier, dans l'ombre, appuyée sur sa canne, Anne aperçut la scène insoutenable. Elle ne détourna pas les yeux lorsque Roses eut ces mots crus que proférait Rosalie dans la pièce : « Donne-moi à boire... » Anne venait de trouver un défi à sa hauteur ; le pire s'étant produit, elle ne craindrait plus de révéler sa part de ténèbres. Mais, figée par l'extrême brutalité de ce qu'elle voyait, comprenant comment son mari aimait être baisé et faisant enfin le lien entre la pièce et le spectacle que la vie lui infligeait, elle conserva son sang-froid et sa froide figure, celle qu'elle adoptait quand elle jouait les monstres.

Revenus de leurs étourdissements, remerciant

les hasards de la vie, Roses et Oskar se séparèrent.

Exactement comme dans la pièce qui se jouait, à quelques mètres d'eux, Roses-Rosalie fit un selfie de leur duo ; puis elle lui souffla :

— Aucune ne t'aimera comme je t'aimerai...

Anne regagna ses appartements à pas mesurés, certaine désormais qu'elle oserait tout.
Elle jeta sa canne.

Pleine du désir d'Oskar, Roses rejoignit sa place auprès d'Antoine qui, sur son siège de velours rouge, se tenait les côtes. La cocasserie de la pièce l'enchantait. Obtus, il continua à rire des situations qui s'enchaînaient sur les planches. Roses le méprisa tout en se sentant coupable. Le déni était la spécialité d'Antoine, alors qu'il aurait dû endosser un kaki moral et se préparer à combattre, avec humour.

SCÈNE 60
(café-restaurant sous les arcades du Louvre, vue sur la pyramide de verre)

Le lendemain, Roses bobarda pour quitter l'hôtel parisien où elle était descendue avec Antoine et Clémence. Sa mythomanie lui avait

311

fait inventer une solution au pied levé, l'une de ces turlutaines qu'Antoine avait l'habitude de gober – par lâcheté. Roses était censée rejoindre de toute urgence une amie d'enfance en panne de confidente. Falsifier ou camoufler était chez elle une forme d'expertise.

Elle rejoignit aussitôt Oskar à la terrasse d'un restaurant donnant sur la pyramide du Louvre.

Quand elle déboula, il l'y attendait déjà avec sérénité, heureux de ses sentiments. L'écrivain contemplait les photographies de Clémence que Roses venait de lui expédier clandestinement depuis sa chambre d'hôtel.

Pendant la nuit, Anne n'avait rien dit. Son épouse, comédienne, avait gardé pour elle ses chagrins et son lot de remontrances légitimes.

Mutique, droite, effaçant sa boiterie et retranchée derrière un sourire excessif, elle était partie en Alsace dès le matin, au motif que sa mère l'y appelait. Il lui fallait un peu de temps pour ruminer ce que clamait la pièce d'Oskar à tout Paris, avant de contre-attaquer. Son grand débat intime ne faisait que débuter. Qu'allait-elle faire de cet homme qui, depuis des mois, avait brisé son cœur ? Cet homme trop affamé de théâtre.

— Nous ne devons plus jouer avec nos nerfs, déclara Roses à Humbert lorsqu'il prit place en face d'elle. Arrêtons.

— Quoi ?

— Je vous aime tous les deux. Antoine et toi.

— Je l'accepte, lâcha Oskar.

— Vraiment ?

— Oui.

— Je te donnerai ma bouche pour ton plaisir, il aura le reste.

— Non.

— Je dois me partager... faire comme je peux.

— Je te veux entièrement.

Le ton monta. Oskar posa comme condition non négociable à la poursuite de leurs rapports qu'elle demeurât sa maîtresse. Roses se cabra, exigea une amitié chaste. Les deux lutteurs frottèrent leur volonté. La peur conduisait le débat. L'un et l'autre se fortifièrent dans des résolutions cimentées. Bien qu'ils se fussent menacés de se quitter pour toujours, une chose était certaine : ils tenaient mordicus l'un à l'autre. Elle ne cédait pas, lui pas davantage.

— Donc je disparais, conclut Humbert avec une suffisance péremptoire, de son promontoire d'orgueil.

— Game over.

— Je te raccompagne à ton hôtel.

Roses se tut, navrée, soulagée, désespérée, heureuse, donc malheureuse.

Ils restaient unis par leur séparation.

SCÈNE 61
(cour du Louvre, puis fête foraine du jardin des Tuileries)

L'imagination échauffée par l'imminence de leurs adieux, le couple traversa la cour du Louvre en silence. Ils se dirigèrent ensuite vers le jardin des Tuileries. La foule s'écoulait béatement à pleins trottoirs. Oskar lui demanda des nouvelles de Clémence qui semblait déjà faire partie de sa vie. Les femmes en robes joyeuses abondaient, les familles en goguette promenaient leur curiosité. Des bus venaient de jeter dans Paris une troupe chinoise enthousiaste, aux regards attentifs. Roses et Oskar, héros de leur fiasco, marchaient comme des robots au-devant de leur rupture définitive. Elle sortit son smartphone et fit une photographie de leur duo. L'ultime sans doute.

Au loin, dans la fête foraine des Tuileries, ils aperçurent un manège terrifiant : un bras géant articulé qui hissait ses passagers haut dans le ciel avant de retomber lourdement pour leur retourner les tripes. La clientèle hurlait si fort qu'on entendait à cinq cents mètres les cris de ses victimes.

— Tu es déjà monté là-dedans ? lui demanda Roses.

— Non, fit Oskar.

— Je vais nous prendre deux billets...

— Tu plaisantes ?

Cinq minutes d'effroi plus tard, Roses et Oskar prenaient place côte à côte dans cet appareil de malheur, durement plaqués aux sièges par un corset de métal. Saisis de peur, ils se prirent par la main sans plus penser à leurs désaccords. Leur trouille commune remplaçait leur mésentente. Au troisième tour, secoués à l'excès dans le ciel parisien, les nuages de leur amour s'en trouvèrent dissipés. Au quatrième, le duo hurlait à tous vents qu'ils s'aimaient pour la vie. Le sentiment d'approcher de son dernier instant rétablit vite les vérités.

La maligne Roses était parvenue à ses fins pour le capturer tout en rompant : refaire rouler les dés... Sans qu'il y eût dans sa rouerie une once de calcul. Roses subissait l'incroyable dictature de sa nature. Elle avait des naïvetés sadiques, des perversions innocentes et des ruses candides.

En quittant le manège, Roses lui susurra au coin de l'oreille :

— Aucune ne t'aimera comme je t'aimerai !

SCÈNE 62
(restaurant en verrière au dernier étage
de l'immeuble de la Samaritaine,
vue sur la Seine)

Quelques heures plus tard, Oskar fit la connaissance de Clémence qui, soudain, entra dans sa vie véritablement – et dans son cœur. Roses avait encore menti à Antoine pour la lui enlever.

Ils passèrent des heures de lumière tous les trois sur le toit d'un immeuble qui accueillait un restaurant coloré. Roses les prit en photo pour immortaliser la naissance de leur presque famille ; c'est du moins ce qu'Oskar se permit de croire alors avec une désarmante fraîcheur. Une mère qui présente son enfant n'est-elle pas une femme qui s'avance plus avant ?

On prit Humbert pour le papa de Clémence quand il demanda une chaise haute pour elle.

Roses en fut heureuse et coupable, à la fois chagrine et rayonnante. Ce fut un moment de joie et de tranquillité tendue, un pur épisode rosesque où chaque émotion était accompagnée de son contraire.

SCÈNE 63
(chambre donnant sur la cour,
appartement de Roses et Oskar à Nantes)

Le lendemain, Oskar et Roses se retrouvèrent chez eux à Nantes.

Elle se déshabilla et négligea leur lit pour se blottir sur le fauteuil de metteur en scène. Faire l'amour horizontalement et dans un lit bordé, est-ce vraiment se donner ?

Accrochés au fauteuil de toile, ils se possédèrent avec acharnement en inventant un nouveau fantasme, un nouveau voyage. La scène se déroulait au Vietnam. Il y était question d'une autre femme non francophone qui viendrait, après une soirée joyeuse, les rejoindre dans une chambre d'hôtel pour marcher avec eux au bord du précipice de plaisirs inédits ; alors même qu'aucun mot intelligible n'avait été prononcé par elle ou par eux. Dans ce rêve muet, la compréhension ne passait que par les regards.

Roses et Oskar s'offrirent ce voyage mental spontanément, en plongeant dans le couloir mystérieux du désir, sans avoir à le réclamer à l'autre, alors que Roses n'avait jamais obtenu cet élan spontané d'Antoine, vide de toute imagination. Son désir balourd prenait trop de place. Humbert, lui, stimulait sa « boîte à images » comme il se doit.

Épanouie après cette virée onirique autant que physique, Roses chuchota à Oskar :

— Ton bonheur me fait toujours aussi plaisir...

Il lui répondit :

— Avant toi, je croyais qu'aucune vie n'était assez large pour moi.

Heureux, ayant établi leur bivouac dans leur lit, ils passèrent ensuite de nouvelles commandes pour faire de leur nid nantais un parfait cocon, et surtout un projet partagé.

Puis, Oskar offrit à Roses une bague de fiançailles.

Très émue, ne s'y attendant pas, elle la passa à son doigt en frissonnant.

C'était si simple.

Tout était là : la bague, l'acceptation de Clémence par Oskar qui avait commandé son lit à barreaux, sa table à langer et sa poussette.

Roses n'avait-elle pas dit : « Le matériel bébé pourra toujours resservir... » Lila viendrait bientôt.

On frappa à la porte.

On insista tant et tant que Roses finit par enfiler sa robe légère.

Elle ouvrit.

C'était Anne.

SCÈNE 64

(appartement de Roses et Oskar à Nantes.
Même lieu que dans la scène précédente,
mais le décor est à présent flou
tant l'émotion les chavire tous)

Roses et Oskar suspendirent leur souffle.

Anne avait suivi son mari, filature de la jalousie. Mais rien dans sa physionomie brune, où ses yeux très verts ouvraient un horizon insolite, n'indiquait qu'elle était sur le pied de guerre ; au contraire, Anne souriait avec calme :

— Bonjour... je peux entrer ? Me joindre à vous ? fit-elle gaiement.

— Heu... fit Roses un brin décontenancée.

— Oui, je peux entrer... conclut Anne, pénétrant dans la pièce en faisant des efforts pour ne pas boiter sur ses talons hauts.

Oskar blêmit.

Que lui réservait la rencontre de ces deux orgueils féminins ? La grande amoureuse qui avait tant joué Racine au Français avait-elle le dessein de les liquider en dernier acte ?

Anne s'adressa d'abord à Oskar, sans détour, à mots choisis et avec une complète ingénuité :

— Je te comprends, mon amour. Roses est plus inspirante que moi. D'ailleurs c'est elle qui t'a inspiré cette pièce, pas moi.

Anne reprit sa respiration et poursuivit :

— Elle est un voyage, je suis un quai. Elle

élargit sans cesse le théâtre de ta vie, je le ferme. Elle t'aime en couleurs fortes, moi en nuances grises. L'érotisme avec elle est une fête qui n'exclut aucune part de toi, même la plus folle, là où je demande sans cesse à être rassurée. Elle t'unifie, je t'aime par fragments, en chipotant souvent, en refusant des morceaux de toi. Elle est une pièce sans cesse improvisée, je ne connais bien que le répertoire classique.

Anne se tourna vers Roses :

— Vous avez le talent du désordre, moi j'ordonne sa vie.

Elle regarda Oskar au fond des yeux :

— Je te comprends. Je comprends que tu sois ici, dans cette maison nouvelle et gaie. Le curieux de notre histoire est que tu ne m'aies pas trompée plus tôt. En fait, je suis ennuyeuse.

Anne dévisagea Roses et Oskar, laissa tomber au sol son imperméable et apparut nue. Souple, droite et ferme sur ses talons aiguilles. Sa cheville blessée avait un pansement discret. Carnation impeccable. Il était dit que sa beauté suraiguë fascinerait toujours. Souriante, elle fixa Roses et continua à ouvrir les écluses :

— Je connais votre... On peut se tutoyer, Roses ? Puisque...

— Oui... bredouilla l'amante qui, curieusement, ne perdait pas pied.

— Je connais ta manière d'aimer, Roses. Avec toi, il vit poétiquement et sensuellement, avec assez de pornographie maison pour que la vraie, celle des vidéos, soit moins alléchante que ce qu'il expérimente dans tes bras. L'autre nuit, après que vous avez fait l'amour dans les coulisses du théâtre, je vous ai surpris. Tu lui as donné « à boire » sous mes yeux, comme vous dites...

Roses et Oskar croisèrent leurs regards stupéfaits.

Anne continua en prenant la main de Roses :

— J'ai compris que tu le baises non pour le faire jouir, comme une vulgaire, mais pour attiser le feu de son imagination. J'ai eu envie d'apprendre cette générosité, de lui offrir moi aussi une autre femme... de cesser à mon tour toute compétition entre femmes. Tu comprends ?

— Oui.

Anne vit que Roses portait un diamant très neuf, sans doute une bague de fiançailles. Elle rit, lâcha la main de Roses et poursuivit avec une désarçonnante tendresse :

— Mais sans te sauter dessus, rassure-toi Roses. Prenons un verre et laissons les choses se faire, ma douceur t'envelopper... lentement.

La mécanique humaine est compliquée.

Jamais dans aucune de ses pièces, même la dernière, Oskar n'aurait imaginé pareilles amabilités de la part d'une épouse aussi étrangère aux grandes licences, qu'elle ne connaissait que par la littérature.

L'insensé, le fantastique et l'ironie de la situation le laissèrent sans voix. Éberlué par l'amour d'Anne qui lui faisait mettre en congé sa jalousie (à moins qu'elle ne jouât), Oskar demeurait entièrement figé, la bouche sèche. Comment son épouse, si cantonnée dans ses trouilles et sa vie ordonnée, si prompte à juger les inconduites qu'elle qualifiait sans doute à raison de « malsaines », pouvait-elle oser pareil déboîtement à très haut risque ?

Sans s'expliquer, Anne ajouta en les considérant tous deux :

— J'ai fouillé dans ton smartphone, Oskar, pour tout comprendre. Regardons les choses en face, en adultes : il est évident que tu ne peux pas rompre avec Roses, ni elle avec son Antoine ou toi. Malgré tous vos efforts. Vous êtes liés. Alors je me suis dit… pourquoi pas ?

— Pourquoi pas quoi ? releva Oskar.

— Vivre ensemble ! s'exclama-t-elle gaiement.

Un silence inouï s'abattit sur eux.

Était-elle devenue folle, elle aussi ?

Anne précisa avec enthousiasme :

— En dépassant l'enfer de la jalousie, le piège de la possession.

— À trois, comme ça ? fit Oskar.

— C'est impossible, rectifia Roses. Il y a Antoine. Mon collège, la maison d'hôtes...

— Alors à quatre ! suggéra Anne avec simplicité en haussant les épaules.

— À quatre... répéta Roses perplexe.

— Il y a assez de chambres dans ta maison d'hôtes, non ? J'ai regardé les photos sur votre site. Ça ne devrait pas poser de problème.

— Anne... soupira Oskar.

Mais Anne le coupa aussitôt :

— Vous avez tous les deux envie d'autre chose ? De plus gai. Moi aussi. Je l'ignorais. Vous me l'avez fait voir.

— Antoine a son mot à dire... fit observer Roses.

— Ça ne te...

— ... semble pas moche, contraire à la beauté de l'amour ? termina Anne. Non, pas du tout. J'ai envie d'explorer les parties excentrées de ma sexualité, moi aussi. Certaines souillures peuvent être... des baptêmes.

— Vraiment ? fit Roses l'air de rien mais la prunelle allumée.

— On peut commencer à s'aimer tous les trois et lui offrir une très jolie putain pour qu'il ne s'ennuie pas, au début.

Roses fixait profondément Anne, comme si elle se reconnaissait dans sa folie assumée.

— Et puis on verra... continua la grande comédienne. J'adore Nantes, la Loire-Atlantique.

— Tu te sens bien ? demanda Humbert inquiet.

— Pas encore. Mais je devine que Roses va me donner beaucoup de plaisir. Puis, toutes les deux, on s'occupera de toi... Ce sera magnifique.

Un silence extraordinaire se fit, compact.

Anne, la timide et possessive Anne, ne pouvait pas être l'auteure de ces mots qu'elle proférait pourtant. Les jouait-elle ou les ressentait-elle sincèrement ? se demanda Oskar qui connaissait ses capacités d'improvisation. Son épouse n'était, dans sa vie d'amante, jamais allée plus loin que ce qui s'offrait ; sans s'écarter des limites que traçaient sa réserve, sa noblesse de cœur mais aussi sa pudeur. En lâchant la rampe solide de ses valeurs, il lui sembla qu'Anne se révélait à elle-même une autre personnalité que celle dans laquelle elle avait toujours vécu – plus joyeuse. Cela le fascina.

Tout de même sidérée par la nudité de la femme d'Oskar qui la troublait un peu, Roses ne savait plus quelle inconduite adopter. Elle la trouvait d'un tel éclat. Une femme aussi belle... pour elle. Oskar, lui, demeurait en état de choc, recroquevillé. Qui allait-il devenir si son garde-fou perdait aussi la boule, si son pont vers le monde normal s'effondrait à son tour ? Si Anne s'autorisait subitement ce qu'elle était censée s'interdire pour lester son mari de raison ?

— Vous avez peur ? demanda Anne.

— Moi pas... murmura Roses.

Anne se dirigea vers Roses sans boiter. L'amoureuse jouait mais se sentait également pleine d'imagination et intriguée par ses fantaisies trop longtemps assoupies. Avec douceur, Anne murmura à Roses au creux de l'oreille :

— Il fait chaud, non ?

— Oui.

Anne défit la robe de Roses Violente qui glissa par terre.

Elles étaient à présent nues toutes deux. Une blanche, une noire, deux libertés. Trois contrevenants à la jurisprudence de la morale bourgeoise ; à moins qu'ils ne fussent, au contraire, des spécimens parfaits de ladite morale.

Le fauteuil de metteur en scène ne craqua pas.

Leur éthique, si.

Partant, tout se révéla différent.

L'impossible véritable entrait dans leur vie.

SCÈNE 65
(bureau d'Oskar, il écrit avec fièvre
dans sa baignoire)

Dès le lendemain, Oskar rectifia sa pièce bien que la générale ait eu lieu et que la presse parisienne eût déjà rendu son verdict sur la version que chacun avait crue définitive ; ce qui n'arrive guère avec les dramaturges normalisés.

Heureux, il rappela aussitôt son assistante, Ninon Folenfant et les autres acteurs pour les avertir que le texte des « Nouveaux Amants » bénéficiait d'une ultime retouche. Ce changement du dernier acte nécessitait une longue répétition supplémentaire. Le sens même de la pièce s'en trouvait modifié, généreusement agrandi. L'esprit d'indépendance y gagnait. Les personnages exultaient *in fine* dans une très grande licence et baroudaient dans de nouvelles idées.

— Que se passe-t-il ? lui demanda Ninon au téléphone, en s'adressant moins au dramaturge qu'au mari adultère.

Oskar répondit en auteur :

— L'épouse finit par quitter son rôle. Elle sort de la passivité des timorés, de sa pudeur prudente. Elle réveille les trois autres et... gagne, je crois.

— Ils décident de... ? hésita Ninon.

— Oui.

— De vivre à quatre ? demanda l'actrice.

— D'abord à trois en harmonie, répondit Oskar. Puis à quatre, chacun avec leur garde-fou. En famille.

— Élargie ?

— Si l'on peut dire... C'est très gai !

— Mais si les garde-fous deviennent fous, il se passe quoi ? Si tout est permis ?

— Le début d'un certain bonheur.

— Vraiment ?

— La pièce est immorale, scandaleuse d'optimisme et, je l'espère, euphorisante.

— Dans quel sens ?

— Elle invite à sauter les barrières avec bonne humeur. Quelles qu'elles soient !

— Aussi naïvement que ça ?

— Rien n'est plus immoral que le franc bonheur !

— Que se passe-t-il exactement ?

— Casimir accepte la situation qui lui est imposée pour ne pas perdre Rosalie. Nathalie aime désormais offrir le corps de Rosalie à son mari, et donner à la jeune femme tout le plaisir qui enflamme son époux. Ils emménagent à quatre dans la maison d'hôtes que tiennent Casimir et Rosalie.

— Et ?

— À leur grand étonnement, ils en sont follement heureux. En renonçant à la jalousie, ils découvrent un bonheur... inattendu.

En franchissant ce cap, ils dépassent tous les caps de la peur.

— C'est crédible, ça, en dehors des contes ? demanda Ninon, tout de même un peu perplexe.

— Dans la pièce, oui ! L'art est là pour corriger le réel. Nous avons le droit d'écrire nos vies. Sur scène et ailleurs.

SCÈNE 66
(salle du théâtre d'Oskar,
fin de la représentation)

En vérité, ce fut un peu différent.

Sous de fallacieux prétextes, Roses ramena Antoine à Paris pour qu'il assistât à la nouvelle fin de la pièce de théâtre remaniée par Humbert.

— N'est-ce pas amusant de voir deux versions d'une pièce ? Toute la presse en parle !

Il lui semblait plus simple qu'Antoine vît d'abord en spectateur, et sous un jour plaisant, le rôle qu'elle entendait le voir jouer dans leur existence.

Roses voulait-elle vérifier que son mari l'aimerait jusque-là ?

Avec elle, l'amour ressemblait à une enchère payée en souffrances – celles des autres.

Quand la salle fut vidée de ses spectateurs hilares, Roses dit avec simplicité à Antoine, le cœur battant :

— C'est notre histoire, mon amour... que tu viens d'applaudir.

— Notre histoire...

— Oui.

— Je ne comprends pas, bégaya-t-il.

— Et notre avenir, au dernier acte. Ça t'a plu ?

— Quel avenir ?

— Celui que je veux pour... nous. Je suis prête ! s'exclama Roses.

— Nous qui ? bredouilla Antoine un peu effrayé par ce qu'il craignait soudain de comprendre.

Le rideau se leva.

Anne et Oskar apparurent en lieu et place de leur personnage dans la pièce. En dehors des romans, ce genre d'instant n'arrive jamais ; c'était cela même qui exaltait Roses et Oskar : s'accorder les libertés de la fiction. Ils voulaient être comédie.

Sûre de sa victoire et du piège qu'elle leur tendait à tous, Anne souriait.

Mais il y avait tant de théâtre dans ce moment que les protagonistes avaient quelque difficulté, soudain, à croire en leur propre rôle.

Roses se leva.

Elle rejoignit Oskar et Anne sur la scène où, au milieu du décor qui reproduisait leur maison d'hôtes, elle reprit le monologue final de Rosalie :

— « La vie peut être aussi large que la Vie, et nos désirs plus grands que nos peurs. Les seuls amoureux qui existent sont les fêlés, ceux qui aiment sans garde-fou, qui ouvrent exagérément leur cœur pour ne plus vivre en sécurité, et qui veulent jouir en ne se protégeant plus des désordres de l'amour… »

Roses tendit sa jolie main à Antoine et lui dit avec confiance :

— Faisons un rêve.

— Un rêve… fit Antoine soudain blême et avec ironie.

— La première des fidélités, mon amour, nous la devons à la vie qui est en nous ! insista Roses.

Éberlué, Antoine les dévisagea tous avec dureté. Le visage clos, il leur tira un coup de canon à bout portant :

— Un cauchemar, oui ! Comment avez-vous pu penser une seconde que j'allais accepter ?

— Prenez le temps de réfléchir… dit Oskar.

— Pour réussir, répliqua Antoine, ce plan dingo suppose une collaboration franche et loyale de l'ennemi, ce qui est assez rare !

Échauffé, il se lâcha :

— Vous êtes totalement tarés, malsains et cruels ! La jalousie existe, la souffrance existe, les autres existent. Nous ne vivons pas dans une pièce de théâtre d'Oskar Humbert mais dans un monde où les coups font mal. Et cette comédie est une tragédie. Un jour vous devrez tous sortir du théâtre !

Antoine se leva et quitta la salle avec fracas.

Sur ses dix centimètres de talons, Anne jubilait.

Antoine venait d'assener à Roses et Oskar ce qu'elle voulait leur crier : un sermon. Et de les réveiller d'un long rêve hypnotique.

Soudain paniquée par le rôle extravagant qu'elle s'était octroyé sous l'emprise d'Oskar, Roses eut assez de raison pour comprendre qu'elle s'était absentée de la réalité.

Elle ôta sa bague de fiançailles, la posa parmi les accessoires du décor et décampa du théâtre.

Celle qui avait été pendant si longtemps pour Humbert une professeure d'audace et une sœur en écriture se révéla une petite fille effrayée. Elle ne s'aimait plus dans le miroir qu'Oskar lui avait tendu – à sa demande.

Roses prit congé d'elle-même.

Elle cessa de se hisser au rang de personnage.

Prête à s'ensevelir dans une fidélité terne, elle regagna vite Saint-Sébastien-sur-Loire, le plancher des vaches, sa vie d'enseignante toute simple et leur chaleureuse maison d'hôtes. Fini les grands ébranlements et le désir hypertrophié. L'amour serait réductible à ses habitudes. Basta les talons hauts. Méritait-elle autre chose que ce confinement dans les décombres d'un grand amour ?

Son génie de l'oscillation la quitta, emportant la part la plus hypnotique de sa séduction. Il lui fallait oublier que le possible, si flexible, veut qu'on l'invente pour que la vie ait lieu en couleurs.

Roses mit des talons plats.

Elle se força à oublier qu'elle était une écrivaine non pratiquante et reprit le fil de son blog de « mommy blogueuse ». Elle s'y jeta et retrouva un destin fabuleusement normalisé auprès de ce gâcheur qu'était Antoine. Roses Violente reprendrait chaque été le chemin un peu triste de la Macédoine, pour y voir sa belle-famille. Moins morcelée, elle serait dorénavant sans grande ambition, légère d'apparence mais convaincue de l'idée que la frivolité est une façon de vivre atroce. Oserait-elle encore l'évasion par le fantasme ?

Au fil des semaines, son sort vissé devint ennuyeux, surtout pour elle, car pour les autres, Roses aurait toujours la politesse d'être gaie.

La pièce était jouée.

Roses n'aurait plus que de longues conversations avec ses plantes.

Le rideau tombé, Anne triomphait sous les applaudissements de son amie Ninon.

Ayant vaincu ses peurs, endigué le fantasme d'Oskar et franchi la ligne rouge de l'inadmissible, la comédienne récupéra un époux transi de liberté. Anne ressuscita le héros amoureux qui avait décampé de leur existence et de leurs rêves depuis si long temps, l'auteur de tant de pièces où l'amour en feu est véritable.

Heureuse, Anne cessa complètement de boiter.

Elle reséduisit comme jamais son homme, capable d'inverser la ronde de la terre pour la récupérer. Un amant transi et impatient lorsqu'elle le quittait même pour quelques secondes, apte à l'impossible pour elle et prêt à franchir toutes les houles avec elle. Leur mariage fermenta à nouveau et la distillation de leurs différences transformées en alcool enivrant reprit. L'amour de ces deux-là ne fut plus grevé d'attentes anodines et trop calmes. Leur passion ancienne eut d'autres ambitions charnelles, taillées sur de plus amples patrons.

Les nouveaux amants, c'était eux.

Il n'y a pas de plus haute sagesse que l'imprudence qui expose aux sorties de route. Aimer en ayant la frousse, cramponné aux rampes de la décence, c'est ne pas aimer. C'est humilier l'amour, lui réclamer trop peu. Celui qui se perd dans sa passion se trouve.

Mais la pièce « Les Nouveaux Amants » n'eut pas le destin feutré de Roses. Romantique en diable, elle continua à faire rire les foules et à répandre sa foi dans l'amour qui s'échappe du réel.

Oskar en fit même un roman gai et d'une mélancolie incurable.

TOUT RECOMMENCE

Mais rien n'est jamais écrit.

Huit semaines plus tard, Roses changea d'avis. Elle remit ses talons aiguilles et demanda le divorce. La stagnation étouffante d'un amour lové dans sa routine n'était évidemment pas respirable. Trop de griefs la séparaient d'Antoine. Surtout, son attirance pour l'exceptionnel condamnait tous ses sentiments pour lui à se flétrir.

Roses crut se délivrer d'Antoine et d'Oskar.

Un Mexicain aux aboyants propos – ex-médecin, funambule de profession – la séduisit. L'animal avait une élégance mitigée, la voix claironnante des chanteurs de karaoké et le charme gominé d'un crooner habitué à détrousser les pucelles. Elle quitta aussitôt l'Europe comme on se quitte soi-même, avec Clémence contre le cœur. Fini Saint-Sébastien-sur-Loire. Pour fermenter, il lui fallait une ville sud-américaine, une nouvelle marmite. La création constante de soi était bien sa spécialité. Roses envoya peu après à Oskar et Anne quelques messages qui témoignaient qu'elle avait déjà changé de visage, ou plutôt de masque.

Elle devait courir sur un fil dans la banlieue de Veracruz, pour essayer de se fuir encore.

L'impensable l'aspirait, comme toujours.

Certains êtres n'entrent dans votre existence que pour l'agrandir.

L'imprudence nous féconde.

Les fous, les rebelles intenables, les anticonformistes, les contradictoires et les dissidents de la morale, tous ceux qui nous font voir les choses différemment, sont nos bienfaiteurs.

Ouvrez donc la porte, cher lecteur, chère lectrice, aux vents très fous de la passion. Les malheurs heureux et les bonheurs cruels ne doivent pas être esquivés. Seule notre faim de fièvre nous sauve et nous recommence.

Un matin, bien malgré vous, peut-être pénétrerez-vous, le sourire aux lèvres, jusqu'au fond d'un chagrin féroce mais enchanteur. Quoi qu'en disent les effrayés de la vie, n'ayez pas peur. Ayez assez de joie pour desserrer le frein à main[1] !

---

1. L'auteur se réserve le droit d'être en complet désaccord avec ces propos... Écrire, c'est se contredire. Écrire, c'est ouvrir mille portes.

Composition et mise en pages
Nord Compo à Villeneuve-d'Ascq

Cet ouvrage a été imprimé
par CPI BRODARD ET TAUPIN
72200 La Flèche

en septembre 2016

Grasset s'engage pour
l'environnement en réduisant
l'empreinte carbone de ses livres.
Celle de cet exemplaire est de :
800 g Éq. CO_2
Rendez-vous sur
www.grasset-durable.fr

PAPIER À BASE DE
FIBRES CERTIFIÉES

Dépôt légal : septembre 2016
N° d'édition : 19583 – N° d'impression : 3018694
Imprimé en France